本书编写组 编

中华优秀传统文化书系

论 语

（二）

山东画报出版社

出版说明

　　山东是儒家文化的发源地，也是中华优秀传统文化的重要发祥地，在灿烂辉煌的中华传统文化"谱系"中占有重要地位。用好齐鲁文化资源丰富的优势，扎实推进中华优秀传统文化研究阐发、保护传承和传播交流，推动中华优秀传统文化创造性转化、创新性发展，是习近平总书记对山东提出的重大历史课题、时代考卷，也是山东坚定文化自信、守护中华民族文化根脉的使命担当。

　　为挖掘阐发、传播普及以儒家思想为代表的中华优秀传统文化，推动中华文明与世界不同文明交流互鉴，山东省委宣传部组织策划了"中华优秀传统文化书系",并列入山东省优秀传统文化传承发展工程重点项目。书系以儒家经典"四书"(《大学》《中庸》《论语》《孟子》)为主要内容,对儒家文化蕴含的哲学思想、人文精神、教化思想、道德理念等进行了现代性阐释。书系采用权威底本、精心校点、审慎译注,同时添加了权威英文翻译和精美插图,是兼具历史性与时代性、民族性与国际性、学术性与普及性、艺术性与实用性于一体的精品佳作。

《论语》是记录孔子及其弟子言行的一部著作,是反映孔子思想的基本文献,是继"五经"(《周易》《尚书》《诗经》《春秋》《仪礼》)之后出现的一部重要经典。宋代,朱熹将其与《孟子》《大学》《中庸》选列入"四书",并将"四书"分章断句,汇集注释,形成《四书章句集注》,广为传播。

一、《论语》的成书及流传

　　《论语》书名的含义,古今歧解纷纷,一个"论"字,引出"论纂"说、"伦理"说、

"追论"说、"讨论"说、"选择"说、"条理"说等多种解说。比较而言，当以"论纂"说为是。"论"有"编纂"义，所谓"论语"，就是编纂在一起的话语。就《论语》来讲，就是编纂起来的孔子、弟子、时人的谈话记录。

《论语》的编纂与成书。《汉书·艺文志》有述："《论语》者，孔子应答弟子、时人及弟子相与言而接闻于夫子之语也。当时弟子各有所记，夫子既卒，门人相与辑而论纂，故谓之《论语》。"据此可知，《论语》的编纂时间应是在"夫子既卒"之后不久；《论语》的编纂者是孔子的弟子们。至于哪些弟子参与了编纂，后人有多种说法，汉郑玄说是仲弓、子游、子夏，魏王肃说是子贡、子游，唐柳宗元说是孔子的再传弟子乐正子春、子思等。今人多认为：《论语》初成于孔子众弟子之手，最终由孔子的孙子子思整理编定。

《论语》成书之后，便逐步有了较广泛的传播，其传播方式，一是辗转传抄，一是口耳相传。从《孟子》以及后来出土的楚简均可看出《论语》在战国时期的流传痕迹。其传本形态，鲁恭王坏孔子宅所得古文《论语》可以见证。后经秦皇焚毁，抄本几乎绝迹。汉代武帝时，鲁恭王刘余坏孔子宅，在壁中幸得孔氏家传抄本《论语》，经孔安国整理后得以面世，因是战国文字，故称之为古文《论语》，简称为《古论》。有学者认为，西汉时期出现的《齐论》《鲁论》，都是由《古论》发展而来。"三论"是西汉时的主要版本，在长期的传承过程中，难免有更改、增减或衍脱，出现了篇章、篇次以及文字内容的差异。为消除分歧，安昌侯张禹以《鲁论》为本，参照《齐论》，整合为一个定本，名为《张侯论》。此书面世后，受到了士子们的认可。东汉时，包咸、周氏为之章句，立于学官。熹平年间全文刻于石碑，成为官方定本。大儒郑玄也以《张侯论》为本，撰成《论语注》。由此，它本浸微，而《张侯论》得以世代流传。

汉代以后，出现的《论语》注释著作数不胜数，较著名的有：魏何晏的《论语集解》，梁皇侃的《论语义疏》，宋邢昺的《论语注疏》，宋朱熹的《论语章句集注》，清刘宝楠的《论语正义》，近代程树德的《论语集释》等。

二、《论语》的思想内容

从部头上来讲，《论语》虽然只有一万六千字，但体大思精，精辟地阐述了人生的哲理，合理地规范了人生的准则。就其思想而言，包括仁爱、礼仪、诚信、孝道等多个方面。

仁爱思想。孔子的思想核心是"仁"。据统计，《论语》一书"仁"字共出现 109 次。"仁"何义？汉代许慎《说文解字》曰："仁，亲也。从人从二。"宋代徐铉注《说文》曰："仁者兼爱，故从二。"可知，仁的基本含义是人与人相亲爱。《论语·颜渊》篇樊迟问仁，孔子回答曰："爱人。"仁者爱人，爱广大民众（"泛爱众而亲仁"）。这种爱不只是停留在口头上，而是要时时事事体现在行动上，是要终生去实践它。正像曾子所说："士不可以不弘毅，任重而道远。仁以为己任，不亦重乎？死而后已，不亦远乎？"（《泰伯》）把践行"仁"作为终生奋斗的重任和目标，仁爱他人，为民造福。

礼仪思想。孔子以"仁"为内在，重在以仁德修心；以"礼"为外在，重在以礼仪规范行为，规范社会。他强调"礼"的重要性，认为"不学礼无以立"（《季氏》），主张人的一切言行都要符合礼："非礼勿视，非礼勿听，非礼勿言，非礼勿动。"（《颜渊》）颜渊问仁，孔子回答说："克己复礼为仁。一日克己复礼，天下归仁焉。"（《颜渊》）这句话曾被很多人误解，正确的理解是：克制自己约束自己，使自己的一切言行都归合于礼，就是仁。如果人人约束自己而归合于礼，天下就都归于仁了。也就是说，人人克己复礼，天下就成了充满仁德的天下。

诚信思想。孔子重视诚信，把诚信列入"五常"（人们遵循的五种常道），即仁、义、礼、智、信；把忠信列入学校教育"四科"，即文、行、忠、信。要求人在说话、处事、交友、为政等方面都要讲究诚信。说话，要"言而有信"（《学而》）；处事（世），要恭敬忠信，"居处恭，执事敬，与人忠"（《子罕》）；交友，要结交讲诚信的朋友，"友直，友谅，友多闻，益矣"（《季氏》）；为政，要取信于民，"民无信不立"（《颜渊》）。

孝道思想。孔子具有很高的孝道境界，他认为，子女对待父母，只做到"养"是不够的，要做到"敬"。他说："今之孝者，是谓能养。至于犬马，皆能有养。不敬，何以别乎？"（《为政》）意思是说：今天有些人谈到孝，认为对老人做到养就是孝了。这种要求太低了，连狗和马等有灵性的动物都能做到长幼间的相养，作为人，在赡养老人时如果体现不出"敬"来，那与狗马等动物有何区别？

和谐友善思想。人生活在社会群体之中，需要保持友善的态度，构建和谐的人际关系。在这方面，孔子提出"君子成人之美，不成人之恶"（《颜渊》），"与人恭而有礼"（《颜渊》），"己所不欲，勿施于人"（《卫灵公》），"己欲立而立人，己欲达而达人"（《雍也》），"君子尊贤而容众，嘉善而矜不能"（《子张》），以及"和为贵""温良恭俭让""恭宽信敏惠"等众多行之有效的行为准则。

义利思想。所谓"义"，指符合正义，符合公益或道德规范。所谓"利"，指利益、财利、好处。孔子认为，"利"要符合"义"。他说："不义而富且贵，于我如浮云。"（《述而》）"富与贵，是人之所欲也，不以其道得之，不处也。贫与贱，是人之所恶也，不以其道去之，不去也。"（《述而》）孔子重义，并非不要财富，他既希望国民富足，如在卫国时，他希望卫国民众富庶，也希望个人富有，如《述而》篇，他说："富而可求也，虽执鞭之士，吾亦为之。"面对贫穷，孔子如是说："君子固穷，小人穷斯滥矣。"（《卫灵公》）"好勇疾贫，乱也。"（《泰伯》）可见，孔子的义利观是值得肯定的：君子求福，取之有道。面对穷困时，不要滥漫无节、胡作非为，而是凭着个人的努力奋斗摆脱贫困。

为政思想。在从政为官方面，孔子一是强调正身："政者，正也。子帅以正，孰敢不正。"（《颜渊》）"不能正其身，如正人何？"（《子路》）"其身正，不令而行；其身不正，虽令不从。"（《子路》）二是强调德政："为政以德，譬如北辰，居其所而众星共之。"（《为政》）"博施于民而能济众。"（《雍也》）三是强调勤政："居之无倦，行之以忠。"（《颜渊》）他这么说，也这么做，"君命召，不俟驾行矣"（《乡党》），国君有命来召，孔子不等车马驾好就急匆匆跑去。

此外，还有"忠恕""中庸""谦逊""刚勇"等思想内容，总之，《论语》中蕴含的思想丰富多彩。

三、今人读《论语》的重要意义

《论语》是两千多年前的古书，当今的广大读者应潜心研读，理由有三：

其一，《论语》自身价值。上述可知，《论语》中所传达的仁爱、礼仪、诚信、孝道、和谐、友善、德政、富民等思想，多与当今时代的价值观吻合。《论语》享誉古今，不仅被古人誉为"盖千年来，自学子束发诵读，至于天下推施奉行，皆以《论语》为孔教大宗正统，以代六经"（康有为《论语注序》），也被今人誉为"两千多年来影响着中华民族精神面貌的最伟大的书"（汤一介语，见雷原《论语：中国人的圣经》），更被外国人尊为"至高无上宇宙第一书"（〔日〕金谷治《孔子学说在日本的传播》)。

其二，个人修养需要。《论语》的大部分内容是谈修身做人，很多名句被人们作为座右铭，诸如"仁者爱人""修己安人""己所不欲，勿施于人""己欲立而立人，己欲达而达人""君子成人之美""见贤思齐""君子尊贤而容众，嘉善而矜不能"，等等。《论语》的育人功能，被世人普遍认知，尤其是儒学界、教育界的研究者，纷纷提倡"读《论语》，学做人"的命题，写出大量专著和论文。《论语》就像一面镜子，帮助人们照去脸上的灰尘，照去心中的恶念，时时提醒"三省吾身"。

其三，社会治理需要。当今社会，人们仍面临诸多难题，要解决这些难题，不仅需要运用人类今天发现和发展的智慧和力量，而且需要运用人类历史上积累和储存的智慧与力量。《论语》中就储存着解决这些难题的丰富智慧和巨大力量。

Contents

雍也第六

Book 6. Yung Yey

6.1

子曰："雍[1]也，可使南面[2]。" 仲弓问子桑伯子[3]。子曰："可也简。" 仲弓曰："居敬而行简，以临其民，不亦可乎？居简而行简，无乃大简乎？" 子曰："雍之言然。"

The Master said, " There is Yung! — He might occupy the place of a prince. " Chung-kung asked about Tsze-sang Po-tsze. The Master said, "He may pass. He does not mind small matters." Chung-kung said, "If a man cherish in himself a reverential feeling of the necessity of attention to business, though he may be easy in small matters in his government of the people, that may be allowed. But if he cherish in himself that easy feeling, and also carry it out in his practice, is not such an easy mode of procedure excessive?" The Master said, "Yung's words are right."

【译文】孔子说："冉雍这个人，可以让他去
做官。"仲弓向孔子询问桑伯子这人怎么样。
孔子说："还可以吧，挺简单纯朴的。"仲
弓说："自处时恭敬严肃，行事简要不烦琐，
这样来治理百姓，不也可以吗？自处时简单，
行事也简单，不是太简单了吗？"孔子说："你
的话是对的。"

【解读】"可使南面"，是对冉雍从政能力的肯定。
冉雍以"德行"著称，被列为孔门四科十哲
之一，曾为季氏宰。

冉雍

吴泽浩　绘

"可也简"，是孔子对桑伯子的肯定性评价，意思是说：这个人还可以吧，挺简单纯朴的。而仲弓所说的"居简而行简，无乃大简乎"，是认为桑伯子简得有些过分，提出质疑。《说苑·修文》说桑伯子"不衣冠而处"，太不讲究，因此仲弓曰"居简而行简"，岂不太简。孔子同意仲弓的看法。

　　"居敬而行简"是说立身敬肃且行事简单不烦琐。居敬，是强调为人恭敬严肃且认真。生活作风上要"敬"，若像子桑伯子"不衣冠而处"，显然不符合"敬"；事业上要"敬"，人们历来提倡"敬业"；为官者管理民众更需要敬肃认真的态度，否则得不到民众的尊重、信任和拥戴。在"敬"的前提下行简，是可以的。但是，"居简而行简"，即为人简单，行事亦简单，岂不是太简单了？

6.2

　　哀公问:"弟子孰为好学?"孔子对曰:"有颜回者好学,不迁怒,不贰过。不幸短命死矣。今也则亡[1],未闻好学者也。"

The duke Ai asked which of the disciples loved to learn. Confucius replied to him, "There was Yen Hui; he loved to learn. He did not transfer his anger; he did not repeat a fault. Unfortunately, his appointed time was short and he died; and now there is not such another. I have not yet heard of any one who loves to Iearn as he did."

【注释】[1]亡(wú):无。

【译文】鲁哀公问:"你的弟子中谁好学?"孔子说:"有个叫颜回的好学,从不把愤怒发泄到别人身上,从不犯同样的过错。不幸

短命死了。如今则没有这样的弟子了，没听
说有好学的人了。"

【解读】能够被孔子称赞为好学，足见颜回学
习之勤勉。从孔子评价颜回"不迁怒""不
贰过"来看，彰显了颜回有很高的道德修养。
可见所谓的好学，在孔子心目中不单是勤勉
刻苦，还要在践行道德、修养心性方面取得
成就。所以，在古人眼中道德修养非常重要。
陶行知先生曾说："千教万教教人求真，千
学万学学做真人。"我们当今的教育不仅体
现在文化知识学习上，还应更加重视思想品
德教育。

6.3

子华[1]使于齐，冉子为其母请粟。子曰：
"与之釜[2]。"请益。曰："与之庾[3]。"
冉子与之粟五秉[4]。子曰："赤之适齐也，
乘肥马，衣轻裘。吾闻之也：君子周急不继富。"
原思[5]为之宰，与之粟九百，辞。子曰："毋！
以与尔邻里乡党乎！"

Yuan Sze being made governor of his town by
the Master, he gave him nine hundred measures of
grain, but Sze declined them. The Master said, "Do
not decline them. May you not give them away in
the neighborhoods, hamlets, towns, and villages?"

【注释】［1］子华：公西赤，字子华，孔子弟子。
［2］釜：六斗四升。［3］庾：二斗四升。［4］
秉：一秉为十六斛，十斗为一斛。［5］原思：
名宪，字子思，孔子弟子。

【译文】公西华出使齐国，冉有替他的母亲请求粮食。孔子说："给她一釜。"冉有请求增加一些。孔子说："再给她增加一庾。"冉有竟然给了她五秉。孔子说："公西赤到齐国去，骑着肥马，穿着轻软的皮袄。我听说：君子只是周济急困，不去富上添富。"原宪做孔子家的管家，孔子给他粮食九百斗，原宪推辞不受。孔子说："不要推辞！把它分给你的邻里乡亲嘛！"

【解读】本章体现出孔子的情怀。公西华即将出使齐国，家有老母，冉有为她求粮，此在情理之中，孔子一点儿也不含糊。当冉有一下子给了她五秉，孔子并未过多地责怪，而是讲明道理。孔子认为，仁爱要有普遍性，没有亲疏之分，给予多少，量其有无，应适可而止。彼时出使外国，没有公帑配置，从公西华的穿戴可以看出其家境优越，多给粮食只不过是"锦上添花"之举。原思则生活贫困，但从他主动辞粟一事就可以看出他的道德修养很高。孔子强予之粟，犹如"雪中送炭"，也相信他一定能够接济邻里乡亲。周济穷人多多益善，对待富者只是出于礼遇，这就是"周急不济富"所蕴含的仁者情怀。

6.4

子谓仲弓曰："犁牛之子骍[1]且角，虽欲勿用，山川其舍诸？"

The Master, speaking of Chung-kung, said, "If the calf of a brindled cow be red and horned, although men may not wish to use it, would the spirits of the mountains and rivers put it aside?"

【注释】[1] 骍（xīng）：赤色马，也泛指赤色。

【译文】孔子对仲弓说："耕牛生的小牛长着赤色的毛和周正的角，虽然不想用它来做祭祀的牺牲，山川之神难道会舍弃它吗？"

【解读】古代祭祀山川非常讲究，要筛选上等的无疾、纯赤色的牛犊，精心饲养三个月后方可作为牺牲。冉雍德才兼备，深受孔子的赞赏，出身却很贫贱。所以，孔子以纯赤色的牛来做比喻，勉励冉雍不能气馁，只要富有才华，就一定能有施展抱负的机会。同时，孔子的这种不以出身论英雄，唯才是举的人才观，在当时主要以血统与出身决定地位的时代，是非常难得的。

6.5

子曰："回也，其心三月不违仁，其余则日月至焉而已矣。"

The Master said, "Such was Hui that for three months there would be nothing in his mind contrary to perfect virtue. The others may attain to this on some days or in some months, but nothing more."

【译文】孔子说："颜回，他的心长久地不离开仁道，其他的人只不过短暂地想到仁罢了。"

【解读】孔子认为，颜回在坚持仁德上，远比其他学生恒久。就字面上看，孔子是从时间上来比较，说明其区别：颜回能做到连续三个月不违仁德的心，而其他学生也只是哪天或哪月能做到仁而已。但是，孔子的意思并不是说颜回仅能持仁德三个月，其他学生仅能持仁德一天或一个月，而是以"三月""日月"来比较保持仁德时恒久与短暂的区别。朱熹《四书章句集注》解曰："三月，言其久。仁者，心之德。心不违仁者，无私欲而有其德也。日月至焉者，或日一至焉，或月一至焉，能造其域而不能久也。"孔子说此话的主要用意是赞许颜回恒久持仁的品德，督促其他学生向颜回学习。杨伯峻《论语译注》说得好："这种词必须活看，不要被字面所拘束。"

6.6

　　季康子问："仲由可使从政也与？"子曰："由也果，于从政乎何有？"曰："赐也可使从政也与？"曰："赐也达，于从政乎何有？"曰："求也可使从政也与？"曰："求也艺，于从政乎何有？"

Chi K'ang asked about Chung-yu, whether he was fit to be employed as an officer of government. The Master said, "Yu is a man of decision; what difficulty would he find in being an officer of government?" K'ang asked, "Is Ts'ze fit to be employed as an officer of government?" and was answered, "Tsze is a man of intelligence; what difficulty would he find in being an officer of government?" And to the same question about Ch'iu the Master gave the same reply, saying, "Ch'iu is a man of various ability."

【译文】季康子问："仲由可以让他从政吗？"孔子说："仲由果敢决断，让他从政有什么难的？"又问："端木赐可以让他从政吗？"孔子说："端木赐通达，让他从政有什么难的？"又问："冉求可以让他从政吗？"孔子说："冉求多才多艺，让他从政有什么难的？"

【解读】这里并不是表明孔子认为只要具备了果敢、通达、多才多艺的特点就可以为政，而是通过长时间的学习修炼，提升品德修养，行为符合礼制要求后，又具备特长方可为政。从孔子对学生的介绍中可以看出，孔子对自己的学生了如指掌，并且学生都各具才华。教育的目的不是消灭个性。由此，我们不得不佩服孔子育人之道的高明：因材施教，各尽其才。并且，"于从政乎何有"流露出来的意思就是：我的这些学生当官又有什么不可以的呢？绰绰有余啊！可见，孔子在对别人介绍自己的弟子时，一定是充满了自信和自豪感！

6.7

季氏使闵子骞为费宰[1]。闵子骞曰:"善为我辞焉! 如有复我者,则吾必在汶上[2]矣。"

The chief of the Chi family sent to ask Min Tsze-ch'ien to be governor of Pi. Min Tsze-ch'ien said, "Decline the offer for me politely. If any one come again to me with a second invitation, I shall be obliged to go and live on the banks of the Wan."

【注释】[1]季氏:季孙斯,谥号桓,称季桓子。鲁国大夫。闵子骞:名损,字子骞,孔子弟子。费:地名,在今山东费县附近。[2]汶上:大汶河的北面。水以阳为上。

【译文】季桓子让闵子骞做费地的长官。闵子骞对来请他的人说:"好好替我辞掉吧! 如果再有人来找我,那我一定远在汶水之北了。"

【解读】闵子骞是古代有名的孝子，其事迹被列为"二十四孝"之一，他品行高洁，淡泊名利。季氏为鲁国大夫，却凌驾于国君之上，有很多不遵守礼制的行为。费，本是季氏的封邑，却屡次发生据邑而叛的事情，是多事之地。道不同不相为谋，面对季氏的征召，闵子骞坚决拒绝。这既是内心蔑视权贵，对自己追求仁德情怀的坚守，更是身处乱世保身避祸的智慧。

6.8

伯牛^[1]有疾，子问之，自牖^[2]执其手，曰：“亡^[3]之，命矣夫！斯人也而有斯疾也！斯人也而有斯疾也！”

Po-niu being ill, the Master went to ask for him. He took hold of his hand through the window, and said, "It is killing him. It is the appointment of Heaven, alas! That such a man should have such a sickness! That such a man should have such a sickness!"

【注释】［1］伯牛：冉耕，字伯牛，孔子弟子。［2］牖（yǒu）：窗户。［3］亡（wú）：无，没有。

【译文】弟子伯牛得了病，孔子去探问，从窗外握着他的手，说：“没办法啊，这是命呀！

人竟会有这样的病！人竟会有这样的病！"

【解读】孔子深爱着他的弟子们。本章孔子提出了"命"，他把人们不可预知、不能左右的事情往往归咎于"天命"或者"命运"。他从窗外拉着弟子的手，说明伯牛之病为重疾、恶疾。探视已多有不便却坚持前往，可见孔子对伯牛感情之深。只不过，天妒英才，有德之人却遭遇不幸，令人悲痛。接连呼出的两句质问之语，流露出孔子对爱徒的惋惜和无奈之情，凄恻感人！

6.9

子曰："贤哉，回也！一箪[1] 食，一瓢饮，在陋巷，人不堪其忧，回也不改其乐。贤哉，回也！"

The Master said, "Admirable indeed was the virtue of Hui! With a single bamboo dish of rice, a single gourd dish of drink, and living in his mean narrow lane, while others could not have endured the distress, he did not allow his joy to be affected by it. Admirable indeed was the virtue of Hui!"

【注释】［1］箪：盛饭的圆形竹器。

【译文】孔子说："多么有贤德啊，颜回！一箪饭，一瓢水，住在简陋的小巷子里，一般人不堪忍受那样的忧苦，颜回却不改变他的乐观。多么有贤德啊，颜回！"

子曰一箪食一瓢饮在陋巷人不堪其忧回也不改其乐贤哉回也 颜回 吴泽浩绘

【解读】陋巷之陋，陋在口腹之享；颜回之乐，乐在身心自由。孔子也曾说过："饭疏食饮水，曲肱而枕之，乐亦在其中矣。"（《论语·述而》）可见二人虽为师徒，但心心相通，实为契友矣。难怪孔子深情地咏叹："贤哉，回也！贤哉，回也！"这不仅是对颜回的赞颂，更是自我的抒怀！非孔子不得成其徒，非颜子不得尽其情！

6.10

冉求曰："非不说[1]子之道，力不足也。"
子曰："力不足者，中道而废。今女画[2]。"

Yen Ch'iu said, "It is not that I do not delight in your doctrines, but my strength is insufficient." The Master said, "Those whose strength is insufficient give over in the middle of the way but now you limit yourself."

【注释】［1］说（yuè）：喜欢。［2］女（rǔ）：汝，你。画：画地为界，指停止。

【译文】冉求说："不是不喜欢您的学说，是我力量不够。"孔子说："力量不够的人，会走到半路才停止，现在你没有走而是停止在原地不动。"

【解读】孟子在劝导齐宣王施行仁政时，曾区分过"不为"与"不能"之别。冉求以力量不足来为自己开脱，纯粹是"不为"之举，就是思想上有畏难情绪。他所说的喜欢，只是停留于口头上，根本就没有立志于学，更没有身体力行。颜回也曾有类似的感叹："仰之弥高，钻之弥坚。瞻之在前，忽焉在后。"（《论语·子罕》），可那是颜回"既竭吾才，如有所立卓尔"之后，自己对老师所讲学说的切身体会。两者相比，高下立判。所幸孔子育人之道的魅力在于因势利导，循循善诱。顺势指出冉求的思想误区，这既是对他的批评，更是对他的勉励。孔子曾经勉励弟子："有能一日用其力于仁矣乎？我未见力不足者。"（《论语·里仁》）这提醒我们：任何事情只空想是不行的，唯有行动起来，才能成功，践行仁德如此，万事莫不如此！

6.11

子谓子夏曰：“女为君子儒，无为小人儒。”

The Master said to Tsze-hsia, "Do you be a scholar after the style of the superior man, and not after that of the mean man."

【译文】孔子对子夏说：“你要做品德高尚的君子式儒者，不要做品质低下的小人式儒者。”

【解读】何为君子儒，何为小人儒？君子儒应该指的是那些精研典籍，努力提高自身道德修养的人；小人儒则主要有两个特点：“一则溺情典籍，而心忘世道；一则专务章句训诂，而忽于义理。”（钱穆《论语新解》）也许，子夏存在一些“小人儒”的毛病，所以孔子及时提醒他，并加以勉励。纵观子夏一生，孔子死后讲学于西河，蔚然大观，没有让老师失望，成为一代大儒。人生需要大境界，要在远大理想的引领下，不断提高我们的道德修养，才能最大限度地实现我们自身的人生价值。

6.12

子游为武城^[1]宰。子曰："女得人焉尔乎？"曰："有澹台灭明^[2]者，行不由径，非公事，未尝至于偃之室也。"

Tsze-yu being governor of Wu-ch'ang, the Master said to him, "Have you got good men there?" He answered, "There is Tan-t'ai Mieh-ming, who never in walking takes a short cut, and never comes to my office, excepting on public business."

【注释】［1］武城：鲁国城邑，地处山东费县西南。［2］澹（tán）台灭明：复姓澹台，字子羽，鲁国武城人，孔子弟子。

【译文】子游做武城邑宰。孔子说："你在此地得到人才了吗？"子游回答说："有个叫澹台灭明的人，走路不抄小道，不是公事，从不到我屋里来。"

【解读】澹台灭明的日常行为表明他是一个堂堂正正，不搞歪门邪道的正人君子，展现出很高的道德情操。难怪孔子要将他收入门下，成为入门最晚的弟子（据李启谦《孔门弟子研究》），后取得很大的成就。据说，澹台灭明相貌丑陋，可并没有受子游的冷落，由此就更加佩服子游的识人之明。从本章可以看出，为政者不但要执政为民，还要善于发现人才，这也是一种责任。

6.13

子曰："孟之反不伐[1]，奔而殿，将入门，策其马，曰：'非敢后也，马不进也。'"

The Master said, "Mang Chih-fan does not boast of his merit. Being in the rear on an occasion of flight, when they were about to enter the gate, he whipped up his horse, saying, 'It is not that I dare to be last. My horse would not advance.'"

【注释】[1]孟之反：名侧，字之反，鲁国大夫。不伐：不自夸。

【译文】孔子说："孟之反不自夸，军队败逃时他殿后，快要进城门时，故意鞭打自己的马，说：'我本来是不敢在最后的，是因为马不肯前进。'"

【解读】战国时期及之前的战争，冲锋陷阵的往往是士大夫们，因为这是礼乐制度赋予他们的责任。地位高，享受的待遇高，意味着你的义务与责任也大，赢得战争受益最大的也是他们。但有的人勇猛表现却毫不夸耀，唯恐人知，的确罕见，这该是怎样的低调与谦逊啊！

6.14

子曰："不有祝鮀^[1]之佞，而有宋朝^[2]之美，难乎免于今之世矣。"

The Master said, "Without the specious speech of the litanist T'o and the beauty of the prince Chao of Sung, it is difficult to escape in the present age."

【注释】［1］祝鮀（tuó）：卫国大夫子鱼，以佞诐获宠于灵公。［2］宋朝：宋国公子，以美色获宠于灵公夫人南子。

【译文】孔子说："不仅有祝鮀那样巧言谄媚者，而且有宋朝那样以美色获宠者，既然国君夫妇宠爱这类人，当今之世受其祸害是难免的了。"

【解读】孔子列举危害当世的两种恶行——巧

言、好色，为卫国担忧。奸佞当道，花言巧语，欺上瞒下，祸国乱政，翻开史卷，不胜枚举。秦之赵高，乃巧言令色的权谋之徒，一旦得势，骄横跋扈，指鹿为马，最终葬送秦朝；南宋秦桧，是投降卖国的千古罪人，把持朝政，陷害忠良，"还我河山"终成历史遗恨。

6.15

子曰："谁能出不由户？何莫由斯道也？"

The Master said, "Who can go out but by the door? How is it that men will not walk according to these ways?"

【译文】孔子说："谁能出屋不经过门？为何没有人遵循仁义之道呢？"

【解读】孔子以"出必由户"来说明"道"的重要性。人生在世，践行道义是必由之路。《孟子·万章下》所言"夫义，路也；礼，门也。惟君子能由是路，出入是门也"，与本章主旨相同。

6.16

子曰："质胜文则野^[1]，文胜质则史^[2]。文质彬彬^[3]，然后君子。"

The Master said, "Where the solid qualities are in excess of accomplishments, we have rusticity; where the accomplishments are in excess of the solid qualities, we have the manners of a clerk. When the accomplishments and solid qualities are equally blended, we then have the man of virtue."

【注释】［1］野：粗野，粗俗。［2］史：史官，掌文辞，故以辞多为史，后引申为虚浮不实。［3］彬彬：配合得当的样子。

【译文】孔子说："质朴胜过文采就会显得粗俗，文采胜过质朴就会显得虚浮。文采和质朴配合得当，然后可以成为君子。"

【解读】本章反映了孔子一贯的中庸思想，做事适度，从不偏激。只重质朴缺乏文采不好，只重文采缺乏质朴也不好。关于"质"和"文"的关系，"质"是内在的，"文"是外在的，二者相辅相成，文质配合，恰到好处，方为完美。万事万物莫不如此。一个人，他的品德就是"质"，而他的言谈举止、衣着打扮就是"文"。过于注重"质"而不注重"文"，或者过于注重"文"而不注重"质"，恐怕都不会让别人喜欢。

6.17

子曰："人之生也直，罔[1]之生也幸而免。"

The Master said, "Man is born for uprightness. If a man lose his uprightness, and yet live, his escape from death is the effect of mere good fortune."

【注释】[1] 罔：枉曲，不直。

【译文】孔子说："人的生存靠正直，不正直的人也能生存，是因为他侥幸免于祸害。"

【解读】正直是人生的通行证，它是儒家的道德标杆。一个正直的人，坦荡磊落，往往心直口快，不会花言巧语，不会搞阴谋诡计，常常直面人生，昂首挺胸。见风使舵之人当然也能生存，有时还会比常人生活的要好，虽然有生之年免于祸害，但后人的评价往往不高，甚至遗臭万年。

6.18

子曰："知之者不如好之者，好之者不如乐之者。"

The Master said, "They who know the truth are not equal to those who love it, and they who love it are not equal to those who delight in it."

【译文】孔子说："对于知识、技能，知道它的人不如喜好它的人，喜好它的人又不如以学习它为乐的人。"

【解读】本章谈到了学习的三个层面：知道了该学，粗粗地了解；有了兴趣，由着趣味涉猎；内心欢乐而专注，孜孜以学，乐此不疲。"知之"，就是知道学习，知道学习有用，应该学习。"好之"，就是喜欢，有了兴趣，有了积极主动性，这是第二种学习态度，比第一种有质的变化。"兴趣是最好的老师"，但是"兴趣"的程度不一样，大多数人只是"好读书，不求甚解"。最高的境界应该是"乐之"，以学习为快乐，是很好的精神享受。

6.19

子曰："中人以上，可以语上也；中人以下，不可以语上也。"

The Master said, "To those whose talents are above mediocrity, the highest subjects may be announced. To those who are below mediocrity, the highest subjects may not be announced."

【译文】孔子说："对待中等智力以上的人，可以讲高深的学问；对待中等智力以下的人，不可以讲高深的学问。"

【解读】孔子在教学实践中感悟到，人的智力存在着差异，要根据弟子的智力，讲授不同的内容。这就是孔子"因材施教"的原则。面对所有弟子侃侃而谈，既要面面俱到，又要让他们融会贯通，这是不可能的事情。人的认知能力、感悟能力是不同的，必须要清楚地认识其差异，有针对性地进行指导，方可帮助他们学习知识。

6.20

樊迟问知。子曰："务民之义^[1]，敬鬼神而远之，可谓知矣。"问仁。曰："仁者先难而后获，可谓仁矣。"

Fan Ch'ih asked what constituted wisdom. The Master said, "To give one's self earnestly to the duties due to men, and, while respecting spiritual beings, to keep aloof from them, may be called wisdom." He asked about perfect virtue. The Master said, "The man of virtue makes the difficulty to be overcome his first business, and success only a subsequent consideration; this may be called perfect virtue."

【注释】［1］义：宜，合适，适当。

【译文】樊迟问什么是明智。孔子说："专心致力于民众合宜的事，尊敬鬼神但要远离它（不要迷信它），可以说是明智了。"又问什么是仁。孔子说："有仁德的人多是先劳苦，后获得（勿不劳而获），可以说是仁者了。"

【解读】怎样为政才算得上理性，这是历代执政者们苦苦探寻的问题。不同的历史阶段有着不同的解答，但孔子的"务民之义"穿越时空依然熠熠生辉。这句话的精神实质就在于审时度势地把握轻重缓急，专心为民。只要不违礼制，什么措施有利于民便尽力而为。仁者能够摒除私利，先埋头苦干，再心安理得地获取个人的应得之利。

6.21

子曰："知者乐^[1]水，仁者乐山。知者动，仁者静。知者乐，仁者寿。"

The Master said, "The wise find pleasure in water; the virtuous find pleasure in hills. The wise are active; the virtuous are tranquil. The wise are joyful; the virtuous are long-lived."

【注释】［1］乐（lè）：喜欢。"乐"字，很多《论语》注解著作都注音为"yào"，缺乏文献依据。宋代朱熹《四书章句集注》给此章三个"乐"字如此注音："乐，上二字并五教反，下一字音洛。"同一章中的"乐"字读音为何不一致，估计朱熹自己也难说清。综观整部《论语》，表示喜好、喜悦意义的"乐"字出现多次，如"不亦乐乎""贫而乐道""乐而不淫""乐以忘忧""回也不改其乐""好之者不如乐之者"

等，这些"乐"字都读lè，唯独"乐山""乐水"读"yào"，是何道理？孔子家乡曲阜及鲁西南一带的古今方言，在表示喜好、喜悦时，"乐"字一般读"luò"音，如"乐呵呵""乐于助人"等，按普通话，就应该读lè。《辞海》把地名"乐亭""乐陵"（"乐"原读音lào）注音为"lè tíng""lè líng"，如此统一读音，既消除了不必要的疑惑，也为广大读者扫除了阅读障碍。

【译文】孔子说："智慧者喜欢流动的水，仁德者喜欢稳重的山。智慧者性动，仁德者性静。智者快乐，仁者长寿。"

【解读】水是流动的，山是静止的，孔子把二者与智者、仁者相联系，比拟既深刻又生动。智者思维活跃，反应敏捷，能够随机应变，恰如流水般顺势而为，无忧无虑地一路流淌，俨然一副智者的做派。仁者性情敦厚、安于

46

乐山乐水　吴泽浩　绘

义理，能够仁慈为怀，正像一座稳重的大山，
默默承受着寒冬酷暑而傲然屹立，永恒不移，
完全是仁者的形象。以人喻景，以景移情，
无论是从政治角度，还是人生视野，皆合乎
时宜，故而成为千古名言。

6.22

子曰:"齐一变,至于鲁;鲁一变,至于道。"

The Master said, "Ch'i, by one change, would come to the state of Lu. Lu, by one change, would come to a state where true principles predominated."

【译文】孔子说: "齐国一改变,可以达到鲁国这个样子;鲁国一改变,就可以达到王道(仁义治天下之道)的标准。"

【解读】这是孔子对春秋时期世道日下的哀叹,其中也饱含着期望。齐鲁两国相邻,起初皆受礼乐制度的教化,而后的发展道路却不相同。齐国历经经济改革,兵强马壮,势强于鲁国,但礼乐精神几乎丧失殆尽。鲁国经济虽然不如齐国,但礼乐文化还有所保留,文化先进于齐国。故而,一心"克己复礼"的孔子说出了这番话。

6.23

子曰："觚[1]不觚。觚哉！觚哉！"

The Master said, "A cornered vessel without corners. — A strange cornered vessel! A strange cornered vessel!"

【注释】[1]觚（gū）：酒器，长身侈口，口部与底部都呈喇叭状。

【译文】孔子说："觚不像个觚。觚呀！觚呀！"

【解读】这是孔子睹物生情发出的悲叹，以此来寓意当时礼制的败坏。在孔子眼中，一切事物各有其形、各有其用，倘若随意改变，就失去了原本意义。这不是小题大做，在孔子看来这是原则。试想，君不君，臣不臣，结果会如何？

6.24

宰我问曰："仁者，虽告之曰：'井有仁焉。'其从之也？"子曰："何为其然也？君子可逝也，不可陷也；可欺也，不可罔[1]也。"

Tsai Wo asked, saying, "A benevolent man, though it be told him, —'There is a man in the well' will go in after him, I suppose." Confucius said, "Why should he do so? A superior man may be made to go to the well, but he cannot be made to go down into it. He may be imposed upon, but he cannot be fooled."

【注释】［1］罔：迷惑、愚弄。

【译文】宰我问道："有仁德的人，假如告诉他说：'井里有个仁人。'他会马上跳下去救人吗？"

孔子说："为什么要这样做呢？君子可以为求仁而死，但不可以被陷害；可以被欺骗，但不可以被愚弄。"

【解读】宰我向老师提出了一个二难悖论的问题，这个问题很刁钻。如果井里有仁人，你会毅然跟随吗？如果跳下去就会陷入死亡境地，出现无谓的牺牲；如不跳下去，这不符合孔子对"仁"矢志不渝的追求精神。其实，宰我是孔门弟子中的一位脑筋灵活又擅长言辞的学生，他提出如此尖锐的问题有点为难孔子，被孔子严加驳斥。

6.25

子曰："君子博学于文，约之以礼，亦可以弗畔 [1] 矣夫！"

The Master said, "The superior man, extensively studying all learning, and keeping himself under the restraint of the rules of propriety, may thus likewise not overstep what is right."

【注释】［1］畔：同"叛"。

【译文】孔子说："君子广泛地学习文化，用礼来约束自己，也就可以不离经叛道了。"

【解读】教育的目的在于培养符合道德标准的人，而不是把所学用于歪门邪道。君子广泛地学习文化典籍是为了明辨是非，成为一名对社会有用之人。如果不用礼制加以约束，即使有再多的知识、再多的技能，也可能做出危害社会的事，甚至助纣为虐。"博学而不自反，必有邪。"（《管子》）一个人光有学问，不去"约之以礼"，必走邪路，讲的也是同样的道理。

6.26

子见南子，子路不说^[1]。夫子矢^[2]之曰："予所否^[3]者，天厌之！天厌之！"

The Master having visited Nan-tsze, Tsze-lu was displeased, on which the Master swore, saying, "Wherein I have done improperly, may Heaven reject me, may Heaven reject me!"

【注释】[1]说（yuè）：悦。[2]矢：誓。[3]否（fǒu）：不是，不对。

【译文】孔子去见了卫灵公夫人南子，子路不高兴。孔老夫子发誓说："我若有不对的地方，天会厌弃我！天会厌弃我！"

【解读】据传，南子生性淫荡，名声很不好又恃宠擅权。她想见孔子，孔子不得已而相见。

其实，孔子也想通过南子在卫国推行圣贤之道。这次见面让子路很不高兴，师生之间产生了一些误会，弄得孔子对天发誓，很狼狈。这个故事告诉我们：要像爱惜生命一样爱惜自己的声誉，该避嫌时就应做到"瓜田不纳履，李下不整冠"，以免惹上麻烦。

子见南子　吴泽浩　绘

6.27

子曰："中庸[1]之为德也，其至矣乎！民鲜久矣。"

The Master said, "Perfect is the virtue which is according to the Constant Mean! Rare for a long time has been its practise among the people."

【注释】［1］中庸：不偏叫中，不变叫庸。恰当处事的恒常法则。

【译文】孔子说："中庸作为一种道德，那是最好的了！民众缺少它很久了。"

【解读】"中庸"是孔子学说和后世儒家的重要思想，作为一种道德观念，被孔子奉为至德。中庸要求做任何事情都要分寸适度，过犹不及，所以它是一种处世哲学。用中庸之道来指导自己修身，能使自己的言行保持中正，性情和谐不乖戾；用以指导行动，则能把握宽严适度，做到恰到好处。有人把中庸理解为折中调和，八面玲珑，不讲原则，是误解。

6.28

子贡曰："如有博施于民而能济众，何如？可谓仁乎？"子曰："何事[1]于仁！必也圣乎！尧、舜其犹病[2]诸！夫仁者，己欲立而立人，己欲达而达人。能近取譬，可谓仁之方也已。"

Tsze-kung said, "Suppose the case of a man extensively conferring benefits on the people, and able to assist all, what would you say of him? Might he be called perfectly virtuous?" The Master said, "Why speak only of virtue in connexion with him? Must he not have the qualities of a sage? Even Yao and Shun were still solicitous about this. Now the man of perfect virtue, wishing to be established himself, seeks also to establish others; wishing to be enlarged himself, he seeks also to enlarge others. To be able to judge of others by what is nigh in ourselves; —this may be called the art of virtue."

【注释】［1］事：犹止、仅。［2］病：担忧，为难。

【译文】子贡说："如果有人能广泛地施惠于民，并能在贫困时救济大众，怎么样？可以说是达到仁了吗？"孔子说："哪里仅仅是仁道！那一定是圣德了！恐怕尧舜也担心难以做到呀！有仁德的人，自己想立身于世也要帮助别人立身于世，自己想发达成功也要帮助别人发达成功。能够就近从自身做比方，可以算是行仁的方法了。"

【解读】本章孔子讲什么是"仁"和实现"仁"的方法。"圣"与"仁"是儒家学说中的两个重要的道德范畴，"圣"是具有崇高德行并且智仁兼备的人，是孔子儒家思想中人格修养终极追求的境界。所以，面对子贡询问"如有博施于民而能济众，何如可谓仁乎"，孔子给予高度的评价。"博施于民而能济众"，是当时治国安邦的理想蓝图，孔子是多么希望有这样的执政者出现。为广大民众谋利益，让老百姓共同脱贫致富，这是何等伟大！但博施济众的"圣境"在当时是不可能达到的，故而孔子勉励弟子尽自己最大努力行仁，成为有仁德的人。"仁"的标准就是"己欲立而立人，己欲达而达人"，这与"己所不欲，勿施于人"异曲同工，就是能将心比心，换位思考，推己及人。

述而第七

7.1

子曰："述而不作，信而好古，窃比于我老彭[1]。"

The Master said, "A transmitter and not a maker, believing in and loving the ancients, I venture to compare myself with our old Pang."

【注释】[1]老彭：解释有二说：一说指篯铿（jiān kēng）一人，商贤大夫，封于彭城，称彭祖。汉代包咸注曰："殷贤大夫，好述古事。"一说指老子和彭祖二人。

【译文】孔子说："传述旧典而不创作，相信并喜好古代文化，我私下里把自己比为老彭。"

【解读】对古圣先贤思想的传述，孔子尊重历史，他只是一位有一说一的整理者，并不加以创作。至于观点与主张，孔子旗帜鲜明，他的"克己复礼"，就是以传承古圣先贤的道统为己任，继承、捍卫和发扬尧、舜、禹、汤、周公等先王圣贤的道统。于是，先贤思想一脉相传，圣哲典范万古流芳。

7.2

子曰："默而识[1]之，学而不厌，诲人不倦，何有于我哉[2]？"

The Master said, "The silent treasuring up of knowledge; learning without satiety; and instructing others without being wearied: — which one of these things belongs to me?"

【注释】[1]识（zhì）：记。[2]何有于我哉：这句话古今理解有分歧：朱熹《四书章句集注》解曰："言何者能有于我也。"杨伯峻《论语译注》译曰："这些事情我做到了哪些呢？"李泽厚《论语今读》译曰："我还有什么呢？"刘宝楠将"何有于我哉"理解为"对于我来说有何难的？"符合经义。

【译文】孔子说："把所学的知识默默地记在

心中，勤奋学习不厌烦，教诲别人不厌倦，这对我来讲有何难的？"

【解读】"学而不厌，诲人不倦"已经成为千百年来莘莘学子和文化传播者的精神信仰，对传统学子的人格素养和中国传统教育的形成和发展产生了深远的影响，对于儒家道统的继承和发扬也有着不可磨灭的贡献。继承的过程就是一个辛苦学习的过程，能默默地守住本心，静静地等待花开，不因收获丰厚而自满，不因终日枯坐而倦怠，厚积而薄发，才能在对传统儒家道统的传承和发扬中身体力行，做到循循善诱，诲人不倦。中华民族优秀的传统文化源远流长，无比灿烂辉煌，文化是民族的血脉，是整个民族心灵栖息的精神家园。实现中华民族伟大复兴的中国梦，提升民族文化的自信，就需要大批像夫子一样能"学而不厌，诲人不倦"的文化传播者。

学而不厌，诲人不倦　吴磊　绘

7.3

子曰："德之不修，学之不讲，闻义不能徙[1]，不善不能改，是吾忧也。"

The Master said, "The leaving virtue without proper cultivation; the not thoroughly discussing what is learned; not being able to move towards righteousness of which a knowledge is gained; and not being able to change what is not good: — these are the things which occasion me solicitude."

【注释】[1]徙：疑是"從"字，形近而误。有的《论语》注本已将"徙"字改为"從"。

【译文】孔子说："道德不修养，学问不讲习，听到仁义之事不能随从，不好的不能改掉，这些都是我所担忧的。"

【解读】没有道德规范约束的社会必然会出现
严重的社会问题，造成社会失序，道德失范。
在孔子所处的年代，被他认为是一个社会失
序、个人失德的时代。以人为本就必须把道
德发扬光大，个人道德修养提高了，必然能
正民风，匡社稷。所以一个人如果有担忧，
应该是忧道德修养提升与否，学问精进与否，
能否行正义之事，能否知错就改，闻过则喜。

7.4

子之燕居，申申如也，夭夭如也。

When the Master was unoccupied with business, his manner was easy, and he looked pleased.

【译文】孔子在家闲居，身心放松，和舒自然。

【解读】孔子的达观与乐天知命自有其别样的道德风范，恬淡平和的心境中自能体现其高深的修养。一个人的道德修养和文明风范体现于生活中的点点滴滴，寻常的日子里，闲居在家，举手投足都显示着宽适雍容，言谈话语中都是那样的和悦安详，那么这个人就能做到"从心所欲，不逾矩"。可见，孔子并不是一个严厉刻板之人，而是一个有气度的邻家老人。

7.5

子曰："甚矣吾衰也！久矣吾不复梦见周公[1]。"

The Master said, "Extreme is my decay. For a long time, I have not dreamed, as I was wont to do, that I saw the duke of Chau."

【注释】［1］周公：姬姓，名旦，周文王子，武王弟。

【译文】孔子说："我衰老得太厉害了！很久没有再梦见周公了。"

【解读】孔子的两声深深叹息，穿越悠久的历史长河响在我们耳畔，一位真性情的智者形象跃然纸上，让我们感受到他那颗跳动的炽热之心。俗话说：日有所思，夜有所梦。孔子对礼乐文化的制定者周公充满着无限的神往与崇敬，但时光易老，人生匆匆，实现恢复周礼的伟大抱负遥遥无期，怎不令人无限叹惋呢？孔子对梦的慨叹，其实就是对周公的追思，对周礼的魂牵梦绕。

7.6

子曰："志于道，据于德，依于仁，游于艺[1]。"

The Master said, "Let the will be set on the path of duty. Let every attainment in what is good be firmly grasped. Let perfect virtue be accorded with. Let relaxation and enjoyment be found in the polite arts."

【注释】[1]艺：指六艺，即礼、乐、射、御、书、数，泛指各种技艺。

【译文】孔子说："志向于道，据守于德，依靠于仁，游涉于艺。"

【解读】孔子在本章中阐发的是教育和引导弟子进德修业的秩序和方法，即循序渐进，梯度分明。其实，这里也是孔子阐发继承和发扬礼乐文化的方法和路径。以道作为途径，以德作为准绳，以仁作为依靠，以六艺作为修习的主要内容，从而让一个人达到内外兼修，德智体全面发展，使之成为有道德、有学问、德才兼备、健全完整的人。

7.7

子曰："自行束脩[1]以上，吾未尝无诲焉。"

The Master said, "From the man bringing his bundle of dried flesh for my teaching upwards, I have never refuse d instruction to any one."

【注释】[1]束脩：有二义，一、一束干肉条；二、束带修饰。今从后者。

【译文】孔子说："凡是自己具备生活自理能力的青少年，我没有不教诲的。"

【解读】孔子提出的教育主张是"有教无类"，不因贫富贵贱等因素把一些人拒之于学校大门之外。凡有心向学者，立志求进者，孔子都会来者不拒，诲之不倦。本章闪耀着孔子所主张的教育平等思想的光辉。

7.8

子曰："不愤[1]不启，不悱[2]不发，举一隅不以三隅反[3]，则不复也。"

The Master said, "I do not open up the truth to one who is not eager to get knowledge, nor help out any one who is not anxious to explain himself. When I have presented one corner of a subject to any one, and he cannot from it learn the other three, I do not repeat my lesson."

【注释】［1］愤：憋闷，郁积。［2］悱：口欲言而不能的样子。［3］隅：方角。物之方者，皆有四角。反：类推。

【译文】孔子说："教导学生，不到他心里憋闷、急于知道的程度，不开导他；不到他想说而说不出的程度，不启发他。举示一个角而不知联想类推另外三个角，那我就不再教了。"

【解读】这是两千五百多年前孔子提出的"启发式"教学方式。孔子强调在教学活动中，学生是主体，要获取知识，学生主动参与、思考、体验是不可或缺的环节。只有主体积极主动地探求知识学问，才能有快捷牢固的收获，积淀成人生的智慧。在这一过程中，老师只是起到引导作用，重在培养学生举一反三的能力。苏格拉底也曾说："教育不是灌输，而是点燃火焰。"

7.9

子食于有丧者之侧，未尝饱也。子于是日哭，则不歌[1]。

When the Master was eating by the side of a mourner, he never ate to the full. He did not sing on the same day in which he had been weeping.

【注释】[1] 这两句，通行本多分为二章，今从朱熹《四书章句集注》本，合为一章。

【译文】孔子在有丧事的人旁边吃饭，从来没有吃饱过。孔子如果在这一天哭过，就不再唱歌了。

【解读】孔子在日常生活中是一个雍容恬淡、旷达乐观的人。但他更具有推己及人的同情心和悲天悯人的怜恤情。孔子在有丧事正遭遇痛苦的人旁边吃饭，从未吃饱过；在吊唁哭泣过的日子，就悲戚地无法歌唱，这些行为足见其感情的真挚细腻，心地的温和善良。此语把孔子那种非常顾及他人、同情他人的恻隐之心表现得淋漓尽致。《孟子·公孙丑上》言："恻隐之心，仁之端也。"心中没有仁善的人，是不可能有恻隐之心的。孔子忧他人之所忧，哀他人之所哀，具有良好修养跃然纸上，令人佩服。

7.10

子谓颜渊曰："用之则行，舍之则藏，唯我与尔有是夫！"子路曰："子行三军，则谁与？"子曰："暴虎冯河[1]，死而无悔者，吾不与也。必也临事而惧，好谋而成者也。"

The Master said to Yen Yuan, "When called to office, to undertake its duties; when not so called, to lie retired; — it is only I and you who have attained to this." Tsze-lu said, "If you had the conduct of the armies of a great state, whom would you have to act with you?" The Master said, "I would not have him to act with me, who will unarmed attack a tiger, or cross a river without a boat, dying without any regret. My associate must be the man who proceeds to action full of solicitude, who is fond of adjusting his plans, and then carries them into execution."

【注释】［1］暴虎：徒手搏虎。冯（píng）河：徒身涉河。

【译文】孔子对颜渊说："如果任用我，就推行治世之道；如果舍弃我，就隐退。只有我和你能做到这样吧！"子路说："您如果统帅三军，会与谁一起共事呢？"孔子说："空手搏虎，只身涉河，死了都不知后悔的人，我是不与他共事的。如果找共事的，那一定是临事谨慎小心，善于谋略而能成功的人。"

【解读】"用之则行，舍之则藏"是一种大智慧，一种处世哲学。孔子一贯主张若为当世所用，就一展抱负，在社会上大力推行仁道；如若不能为当世所用，就退而修其身，韬光养晦。这种处世之道，是根据社会的具体情况或进或退，从容洒脱。孔子的用舍行藏思想对后世影响很大，孟子的"穷则独善其身，达则兼善天下"，苏轼的"取舍由人，行藏在己"

都与此一脉相承。孔子在赞扬颜回的同时，
又一次批评了子路有勇无谋。依语境，子路
看到老师赞赏颜渊，就以自己擅长的勇力向
老师炫耀，想以此获得老师的认可。孔子委
婉地批评了子路鲁莽行事的风格：一个人仅
有勇气而缺失谋略，只是一介赳赳武夫而已，
赤手空拳搏杀老虎，冒冒失失徒步过河是不
可取的。只有把智谋和果敢二者结合起来，
才是符合儒家意义上真正的勇者。所以孔子
说"仁者必有勇，勇者不必有仁"。

7.11

子曰："富而可求也，虽执鞭之士，吾亦为之。如不可求，从吾所好。"

The Master said, "If the search for riches is sure to be successful, though I should become a groom with whip in hand to get them, I will do so. As the search may not be successful, I will follow after that which I love."

【译文】孔子说："财富，如果可求的话，即使是做执鞭驾车之人，我也做。如不可求，就做点自己喜欢做的吧。"

【解读】孔子从不反对做官，也不反对求取富贵，他办学的目的就是鼓励弟子积极进取努力入仕，但前提必须是符合道义。一个人奋斗一生，在追求人生远大抱负的同时，必然也有着对富贵名利的诉求。哪怕是微不足道的"执鞭之士",也是正当的职业,谋取的是正当收入。本章可与《论语·里仁》的"富与贵是人之所欲也,不以其道得之,不处也"联系理解。

7.12

子之所慎：齐[1]、战、疾。

The things in reference to which the Master exercised the greatest caution were fasting, war, and sickness.

【注释】［1］齐：通"斋"，斋戒。

【译文】孔子所谨慎对待的事是：斋戒、战争、疾病。

【解读】斋戒，是祭祀前的必修课，关乎对神明的虔诚与敬畏。战争，是人与人之间的杀戮，关乎对生命的尊重与敬畏。疾病，是虐夺人们健康的杀手，关乎人的生死存亡。所以孔子呼吁谨慎对待。

7.13

子在齐闻《韶》，三月不知肉味。曰："不
图为乐之至于斯也！"

When the Master was in Ch'i, he heard the
Shao, and for three months did not know the taste
of flesh. "I did not think," he said, "that music could
have been made so excellent as this!"

【译文】孔子在齐国听到舜时的《韶》乐，陶
醉其中，三个月吃不出肉味。他说："想不
到欣赏音乐竟然到了这种地步！"

【解读】孔子用夸张手法来形容音乐具有穿越
时空的感召力，可直抵心灵，带来震撼。音
乐具有涵养性情、陶冶情操的鲜明功能。高
雅纯正的音乐旋律悠扬婉转，感心动耳，可
以愉悦人、感化人，所以音乐还具有辅助社

会治理的功能，对于端正社会风气和礼制都具有重要作用。孔子精通韵律，对《韶》乐向往已久，当在齐国听到时达到了忘我的境界，可见孔子的音乐造诣之高。

7.14

冉有曰："夫子为卫君 [1] 乎？"子贡曰：
"诺，吾将问之。"入，曰："伯夷、叔齐
何人也？"曰："古之贤人也。"曰："怨乎？"
曰："求仁而得仁，又何怨？"出，曰："夫
子不为也。"

Yen Yu said, "Is our Master for the ruler of
Wei?" Tsze-kung said, "Oh! I will ask him." He went
in accordingly, and said, "What sort of men were
Po-i and Shu-ch'i?" "They were ancient worthies,"
said the Master. "Did they have any repinings
because of their course?" The Master again replied,
"They sought to act virtuously, and they did so; what
was there for them to repine about?" On this, Tsze-
kung went out and said, "Our Master is not for
him."

【注释】〔1〕卫君：卫出公辄，卫灵公之孙，太子蒯聩之子。鲁定公十四年，蒯聩得罪灵公夫人南子，受灵公逐，逃亡晋国。灵公卒，卫立辄为君。赵简子欲助蒯聩为卫君，辄拒之。

【译文】冉有说：“老师会帮助卫国国君辄吗？”子贡说：“好吧，我去问问他。”子贡进入孔子屋里，说：“伯夷、叔齐是什么样的人？”孔子说：“是古代的贤人。”子贡说：“他们有怨恨吗？”孔子说：“他们追求仁德而得到了仁德，又有什么怨恨呢？”子贡出来，对冉有说：“老师不会帮助卫君。”

【解读】山西首阳山上的伯夷、叔齐庙有副对联：几根傲骨头，撑持天地；两个饿肚腹，包罗古今。这副对联是颂扬两位古代贤人的仁义精神，撑持天地的是他们礼让的道义，包罗古今的是他们笃厚的仁德，可谓是古风浩荡，仁义沛然。两位古贤人的礼让，与卫国蒯聩父子为了国君之位争得你死我活，形成了鲜明的对照。孔子反对一切破坏礼制秩序的战争，卫出公父子的王位之争显然不符合礼让精神，因此，孔子极力赞颂伯夷、叔齐的品德。子贡想探明老师心里的真实想法，采用了避实就虚、另辟蹊径的提问方式，既耐人寻味，又彰显了子贡的智慧。

7.15

子曰："饭疏食饮水，曲肱而枕之，乐亦在其中矣。不义而富且贵，于我如浮云。"

The Master said, "With coarse rice to eat, with water to drink, and my bended arm for a pillow; — I have still joy in the midst of these things. Riches and honours acquired by unrighteousness, are to me as a floating cloud."

【译文】孔子说："吃粗粮，喝冷水，弯着胳膊做枕头，快乐也就在其中了。靠不正当的手段得来的富贵，对我来说就像天上的浮云。"

【解读】孔子志向高远，面对现实时也朴实无华。这里他再次申明了自己以仁义道德为理想的坚定追求，哪怕是粗茶淡饭，也甘之如饴，乐观地生活，坦然地面对。口腹之欲，富贵

之乐，要建立在道德的基础之上。不合道义
的荣华富贵，就如天上的浮云一般。人应该
心安理得地处世，即使身处艰难困苦之时，
依然坚守道义，昂首挺胸。

7.16

子曰："加我数年，五十以学《易》，可以无大过矣。"

The Master said, "If some years were added to my life, I would give fifty to the study of the *Yi*, and then I might come to be without great faults."

【译文】孔子说："如果能将我的年龄增加数年，从五十岁时就开始学《易》，则可以无大过错了。"

【解读】《易》自古就被誉为大道之源，这部卜筮之书，演天人的对应，穷阴阳的变化，富含哲学思辨色彩。学习这部经典，能让人认识自己的过失，校正人生的方向，提升人生的智慧，对人生具有现实的指导意义。孔子是在垂老之年发出的这番学《易》恨晚的感慨，意思是如果自己年轻几岁，五十岁开始学《易》，就可以不犯大过错了。孔子曾说"五十而知天命"，他的"知天命"就是学习《易》后的体会。此语是一种假设，孔子悔恨学《易》太晚，故有"加我数年"的企求。

7.17

子所雅言 [1]，《诗》《书》、执礼，皆雅言也。

The Master's frequent themes of discourse were — the *Odes*, the *History*, and the maintenance of the Rules of Propriety. On all these he frequently discoursed.

【注释】[1] 雅言：正言，通行的标准语，相当于今天所说的普通话。

【译文】孔子有用雅言的时候，读《诗经》，读《尚书》，执行礼仪，都用雅言。

【解读】本章阐发的是孔子使用雅言是对文化传统的尊重、坚守和传播。诗可以表情达意、陶冶情操，书可以借鉴温故、明白道义，礼

可以约束行为、规范自己。这些都是中华优
秀传统文华中的重要内容。再者，孔子的弟
子来自各地，如果用曲阜方言传授文化礼仪，
是有障碍的。

韦编三绝　吴泽浩　绘

7.18

叶公[1] 问孔子于子路，子路不对。子曰："女奚不曰，其为人也，发愤忘食，乐以忘忧，不知老之将至云尔。"

The duke of She asked Tsze-lu about Confucius, and Tsze-lu did not answer him. The Master said, "Why did you not say to him, —He is simply a man, who in his eager pursuit (of knowledge) forgets his food, who in the joy of its attainment forgets his sorrows, and who does not perceive that old age is coming on?"

【注释】［1］叶（shè）公：姓沈，名诸梁，字子高，楚国叶地长官。

【译文】叶公向子路询问孔子是怎样的一个人，子路不回答。孔子说："你为什么不这样说，他的为人啊，发愤学习便忘记了吃饭，快乐起来便忘记了忧愁，不晓得衰老就要到来，如此罢了。"

【解读】孔子定位自己是"学而知之者"，这很好地诠释了孔子评价自我为"发愤忘食，乐以忘忧"。孔子一生中乐观向上，积极奋发，好学进取，晚年研习《易经》，曾"韦编三绝"，备受后人推崇，传为美谈。他不断充实和提升自己，对于深奥的学问，他发奋苦读；对于未知的领域，他不断求索，沉浸于知识的海洋中，"不知老之将至"。这既是苦学，又是乐学，孔子废寝忘食地探究知识，而不断丰富的知识又带给他无穷的快乐。伟大的人格和崇高的人生境界，就是这样练就的，孔子的圣人形象如一座丰碑矗立于后世学子的心中。

7.19

子曰：“我非生而知之者，好古，敏以求之者也。”

The Master said, "I am not one who was born in the possession of knowledge; I am one who is fond of antiquity, and earnest in seeking it there."

【译文】孔子说：“我不是生来就什么都知道的人，而是爱好古代文化，通过勤敏学习以求得知识的人。”

【解读】天下没有生而知之者，知识渊博之人都是靠后天勤敏学习求得知识的。要想成为知识渊博的人，首先要志存高远，目标明确，乐于奋进。其次是态度端正，方法得当，意志坚定。有了远大的理想和定力，再加上天道酬勤，就会“积土成山”，从而成就不凡一生。

7.20

子不语怪、力、乱、神。

The subjects on which the Master did not talk, were: extraordinary things, feats of strength, disorder, and spiritual beings.

【译文】孔子不谈论怪异、暴力、叛乱、鬼神之类的事。

【解读】孔子讲正道，不讲怪异之事；讲修德，不讲暴力血腥；注重和谐教化，不讲叛乱动荡；关注社会人生，无意于神鬼仙怪。因为怪异之事能蒙骗人，暴力之事能伤害人，叛乱之事能误导人，鬼神之事能迷惑人。孔子以人为本，注重实际，所以他以身作则，拒绝谈论这些东西。

7.21

子曰："三人行，必有我师焉，择其善者而从之，其不善者而改之。"

The Master said, "When I walk along with two others, they may serve me as my teachers. I will select their good qualities and follow them, their bad qualities and avoid them."

【译文】孔子说："三人同行，必定有我可师法学习的人在其中，选择他们的优点照着去做，发现他们的缺点（自己也有的话）注意改正。"

【解读】"天不生仲尼，万古如长夜。"（《朱子语类》）孔子简短的言语中总是闪耀着启人心智的光辉，如漫漫长夜的灯火，温暖而明亮，指引着人前行的道路。孔子这句经典之语，已然成为千古学者立志成才的灯塔。此语蕴含的道理很简单，即谦虚和好学。孔子认为，首先要有谦恭虚心的态度，善于发现他人的优点与缺陷。几个人在一起必然有可借鉴的方面，善的多多学习，不善的引以为戒。这与《里仁》篇"见贤思齐焉，见不贤而内自省也"蕴含同样深远的哲理。但这些道理知易行难，一个人往往容易自视过高，常不免虚荣和傲慢。

7.22

子曰："天生德于予，桓魋[1] 其如予何！"

The Master said, "Heaven produced the virtue that is in me. Hwan T'ui, what can he do to me?"

【注释】［1］桓魋（tuí）：宋国司马向魋，因是桓公之后，故称桓魋。孔子师徒周游至宋，桓魋欲杀孔子。

【译文】孔子说："上天把道德降生在我身上，他桓魋能把我怎么样！"

【解读】孔子周游列国途中经过宋国时曾遭遇一次危机，当时他跟弟子在一棵大树下习礼，宋国司马桓魋偏听挑拨之言，想要杀掉孔子。孔子在弟子们的保护下离开了宋国。在逃亡途中，弟子催促孔子跑快点时，他说了这句具有浩然正气的话。面对威胁，孔子是非常镇静和自信的，他认为自己怀德行仁，传播圣贤大道，是正义的行为，自有上天佑护，何惧之有。这里体现出孔子"仁者无畏"的精神。

7.23

子曰："二三子以我为隐乎？吾无隐乎尔。吾无行而不与二三子者，是丘也。"

The Master said, "Do you think, my disciples, that I have any concealments? I conceal nothing from you. There is nothing which I do that is not shown to you, my disciples; — that is my way."

【译文】孔子说："你们几位（学生）以为我有什么隐瞒吗？我没有隐瞒于你们的。我没有任何行为不向你们公开，这正是我孔丘啊。"

【解读】本章表现了孔子胸怀坦荡、光明磊落的本性。孔子在与弟子的朝夕相处中，或许与弟子发生过误会，这里或许是指有些弟子认为老师在学问上对他们藏而不授，孔子讲了这句话进行表白。从这句话的语气里分明能听出孔子被弟子误会受了委屈，急于辩解。这急切的表白，足可看出孔子磊落的心怀和一视同仁的教学态度。孔子之所以称为"万世师表"，不单是学识，也在职业道德的角度为后世立起了一座丰碑！

7.24

子以四教：文，行，忠，信。

There were four things which the Master taught, — letters, ethics, devotion of soul, and truthfulness.

【译文】孔子以四个方面的内容教育学生：文化知识、做事（实践）能力、忠心、诚信。

【解读】孔子设立的教学内容是科学合理的。学生进学修身、立志成才，既需要文化知识，也需要实践能力，还需有美好品德，这几个方面是相辅相成的有机整体。知识的学习固然重要，但品德修养亦不可缺失，德才兼备就是这个道理。知是行的前提，只有先学好知识，才会有正确的认知，才会有正确的实践和行动，进而才会有人格德行的提升。这些教诲不断地濡养学生的忠、信之德，使知识、实践、品行修养三者协同发展、并行不悖。

7.25

子曰："圣人[1]，吾不得而见之矣；得见君子者，斯可矣。"子曰："善人，吾不得而见之矣；得见有恒者，斯可矣。亡而为有，虚而为盈，约而为泰，难乎有恒矣。"

The Master said, "A sage it is not mine to see; could I see a man of real talent and virtue, that would satisfy me." The Master said, "A good man it is not mine to see; could I see a man possessed of constancy, that would satisfy me." Having not and yet affecting to have, empty and yet affecting to be full, straitened and yet affecting to be at ease: — it is difficult with such characteristics to have constancy."

【注释】［1］圣人：无事不通，知识渊博，人格品德最高者。

【译文】孔子说："圣人，我不能见到了；能见到君子，也就可以了。"孔子又说："善人，我不能见到了；能见到有恒心向善之人，也就可以了。如今不少人，把无说成有，虚说成实，穷困装作奢泰，这个样子，便很难有恒心向善了。"

【解读】孔子为什么说见不到圣人和善人了呢？周公之后圣人不出，是由于孔子所处的时代造成的。彼时大道沦落，社会动荡，鲜有统治者重视社会德化。在此背景下，人们匆匆为利而行，道义离人们渐行渐远，圣人与善人已是难得一见。所以孔子特别怀念圣君贤臣，渴望有圣人出，有贤人现。可怕的是，此时不仅圣人和善人难以找到，就连君子和"有恒者"也不多见了，那些以无为有、弄虚作假、贫而骄奢的人比比皆是。孔子在这里表达了对贤良人才匮乏的担忧，表现了心忧天下的仁德情怀。

7.26

子钓而不纲 [1]，弋不射宿 [2]。

The Master angled, — but did not use a net.
He shot, — but not at birds perching.

【注释】［1］纲：当为纲，即"网"。［2］弋
（yì）：带丝绳的箭。宿：宿鸟，归巢栖息之鸟。

【译文】孔子主张用钩钓鱼，而不用网捕鱼；
用箭射鸟，而不射归巢栖息之鸟。

【解读】《论语》举此二例，目的是彰显孔子仁德。
捕鱼不以网，一是少捕，二是不捕幼小；捕
鸟不射宿，也是考虑到久居巢中的鸟多在孵
化或哺育幼鸟，如果射杀了这样的鸟，一群
幼鸟就会活活饿死。

孙钦善《论语本解》指出，本章即反映

了孔子的爱物美德。这种美德表现为遵守古代取物有节的社会公约。李泽厚《论语今读》曰："旧注常以此来讲'取物以节'，不妄杀滥捕，乃理性经验，但这里着重的更是仁爱感情。"

7.27

子曰："盖有不知而作之者，我无是也。多闻，择其善者而从之；多见而识之，知之次也。"

The Master said, "There may be those who act without knowing why. I do not do so. Hearing much and selecting what is good and following it; seeing much and keeping it in memory:— this is the second style of knowledge."

【译文】孔子说："大概有种自己不懂而妄自造作的人，我不是这样。多多地听，选择好的加以接受；多多地看，并且用心记下来，这是求知的次序啊。"

【解读】本章是孔子教导弟子求知学习的方法。孔子在治学修身处世等方面，向来是严于律己，实事求是的。他主张对于自己不明白的，不能闭门造车，凭空杜撰，根据一己之观点著书立说。这样做违背道德规范，并有悖于古圣先贤的思想学说，会成为异端邪说，带来无穷的害处。孔子对"不知而作"一概否定，况且他自己就是"述而不作，信而好古"的。正确的治学方法是多闻多见，多学多交流，注重实践，深入社会，在正确辨识的基础上择善而从。

7.28

互乡 [1] 难与言，童子见，门人惑。子曰：
"与 [2] 其进也，不与其退也，唯何甚？人洁
己以进，与其洁也，不保其往也。"

It was difficult to talk (profitably and reputably) with the people of Hu-hsiang, and a lad of that place having had an interview with the Master, the disciples doubted. The Master said, "I admit people's approach to me without committing myself as to what they may do when they have retired. Why must one be so severe? If a man purify himself to wait upon me, I receive him so purified, without guaranteeing his past conduct."

【注释】[1]互乡：乡名。不详何处。[2]与：
允许，赞许。

【译文】互乡的人难于交流，有一个顽劣孩童

被孔子接见，弟子们疑惑不解。孔子说："应赞许他的进步，不赞许他的退步，何必那么过分呢？只要人家有清洁自身以求进步的愿望，就应该赞许帮助他清洁，使其不保留往日的污垢。"

【解读】本章既彰显孔子的仁者之风，博大胸怀，又表现他的教育之道——赏识教育。孔子在教育上秉持"有教无类"的思想，只要潜心向学，不管什么人，他都没有任何的歧视且悉心教诲。每个人都渴望得到他人的理解、尊重和赏识，互乡这个地方的人难以交流，但孔子依然接见那个要求进步的童子。对人对事，没怀有成见和偏见，"君子成人之美，不成人之恶"，这就是孔子的不凡之处。孔子与人为善的处事态度和包容风度，积极奖掖后进，劝人进取的做法让后人景仰。

7.29

子曰：“仁远乎哉？我欲仁，斯仁至矣。”

The Master said, "Is virtue a thing remote? I wish to be virtuous, and lo! virtue is at hand."

【译文】孔子说：“仁离我们很远吗？并不远。只要我们想践行仁，行仁的机会就自然到来。”

【解读】孔子强调自觉行仁。在孔子看来，“仁”不是高不可及的东西，就在我们身边，并且是人的本性中就有的成分。每个人都是自己的主宰，为仁由己，求仁就会得仁。人只要有坚守道德的愿望，以“仁”的标准要求自己，且持之以恒，那么就能到达“仁”的境界了。

7.30

陈司败[1]问："昭公[2]知礼乎？"孔子曰："知礼。"孔子退，揖巫马期[3]而进之，曰："吾闻君子不党[4]，君子亦党乎？君取于吴，为同姓，谓之吴孟子。君而知礼，孰不知礼？"巫马期以告。子曰："丘也幸，苟有过，人必知之。"

The minister of crime of Ch'an asked whether the duke Chao knew propriety, and Confucius said, "He knew propriety." Confucius having retired, the minister bowed to Wu-ma Ch'i to come forward, and said, "I have heard that the superior man is not a partisan. May the superior man be a partisan also? The prince married a daughter of the house of Wu, of the same surname with himself, and called her, 'The elder Tsze of Wu.' If the prince knew propriety, who does not know it?" Wu-ma Ch'i reported these remarks, and the Master said, "I am fortunate! If I have any errors, people are sure to know them."

【注释】［1］陈司败：一说人名，齐国大夫。一说陈国官名，主管司法。［2］昭公：鲁国国君，名裯。［3］巫马期：孔子弟子，姓巫马，名施，字子期。［4］党：偏袒。

【译文】陈国司败问："鲁昭公懂礼吗？"孔子说："懂礼。"孔子走了以后，司败向巫马期作揖行礼，请他走近自己，说："我听说君子不偏袒，难道君子也偏袒吗？鲁君从吴国娶了位夫人，因为是同姓，故讳称夫人为吴孟子。鲁君如果算是懂礼，还有谁不懂礼呢？"巫马期把这话告诉了孔子。孔子说："我孔丘很幸运，如果有了过错，人家一定会知道。"

【解读】周代礼俗制度规定同姓不能通婚，而鲁国昭公却娶了吴孟子，他们同属姬姓。当陈司败向孔子提出"昭公知礼乎"这一问题时，孔子隐瞒、偏袒了鲁昭公悖逆"同姓不娶"的失礼行为。此时孔子的表现是得体的，并不失礼，因为依礼作为臣子须"为尊者讳"，不能在公开场合议论国君的过失。但"君子坦荡荡"，当弟子巫马期告诉孔子事情的真相后，孔子并不讳疾忌医，文过饰非，而是坦然接受批评，表现出磊落坦荡的君子涵养和风度。

7.31

子与人歌而善，必使反之，而后和之。

When the Master was in company with a person who was singing, if he sang well, he would make him repeat the song, while he accompanied it with his own voice.

【译文】孔子与人一起唱歌，如果那人唱得好，一定让他再唱一遍，然后自己随和着唱。

【解读】无论是生活中还是治学上，孔子总是能表现出谦恭的君子风范与和蔼可亲的品质。这里不但显示了孔子动静之间的亲和友善，也体现了孔子能够取人之优长，补己之劣短的好学精神。同时，也鲜明地体现出他谨慎仔细、虚心治学的处世态度。

7.32

子曰："文，莫 [1] 吾犹人也。躬行君子，则吾未之有得。"

The Master said, "In letters I am perhaps equal to other men, but the character of the superior man, carrying out in his conduct what he professes, is what I have not yet attained to."

【注释】[1] 莫：或许，大概。

【译文】孔子说："在文化知识方面，大概我和别人差不多吧。在亲身践行君子道德方面，那我还没有成功。"

【解读】陆游曾有"纸上得来终觉浅，绝知此事要躬行"的名句，孔子在这里也同样强调身体力行。他一直认为自己不是生而知之，在践行君子方面做得不够好，距离君子的境界还有一定的差距，还没有取得君子的成就，希望自己和弟子们尽可能在这个方面多多努力。孔子的这段话启示我们：一个人不能只看他的学识见地、言谈举止，更要观察他是否按照所言去躬行实践。

7.33

子曰："若圣与仁，则吾岂敢！抑为之不厌，诲人不倦，则可谓云尔已矣。"公西华曰："正唯弟子不能学也。"

The Master said, "The sage and the man of perfect virtue; — how dare I rank myself with them? It may simply be said of me, that I strive to become such without satiety, and teach others without weariness." Kung-hsi Hwa said, "This is just what we, the disciples, cannot imitate you in."

【译文】孔子说："若说圣与仁，那我怎敢当！不过努力学习不厌烦，耐心教人不厌倦，只可以说是如此而已罢了。"公西华说："这正是我们弟子不能学到的。"

【解读】谦虚是一种大美德，孔子称自己"若圣与仁，则吾岂敢"，这是孔子在别人面前的谦恭之词。不过他内心里，同样感觉自己与先圣们的仁德相比有一定的差距，倒也是肺腑之言。古今中外任何真正有成就的人，都觉得自己很平凡，也正是他们谦虚好学，不断进取，才有了骄人的成就。苏格拉底曾经说过："我非常清楚地知道，我并没有智慧，不论是大的小的都没有；知道得越多，才懂得知道得越少。"只有知识的积累、人生的历练真正达到一定的高度，人们才会感觉到自己的不足甚至渺小，这是常人无法领略到的。

7.34

子疾病，子路请祷。子曰："有诸？"子路对曰："有之。诔 [1] 曰：'祷尔于上下神祇 [2]。'"子曰："丘之祷久矣。"

The Master being very sick, Tsze-lu asked leave to pray for him. He said, "May such a thing be done?" Tsze-lu replied, "It may. In the Eulogies it is said, 'Prayer has been made for thee to the spirits of the upper and lower worlds.'" The Master said, "My praying has been for a long time."

【注释】［1］诔（lěi）：为生者祈福之文。［2］神祇（qí）：天神与地神。

【译文】孔子得了重病，子路请求祈祷。孔子说："有这种事吗？"子路回答说："有。诔文中说：'为你向天神地祇祈祷。'"孔子说：

"我祈祷已很久了。"

【解读】邢昺《论语注疏》曰:"此章记孔子不谄求于鬼神也。……孔子不许子路,故以此言拒之。"杨朝明《论语诠解》指出,本章通过孔子对子路请祷的反对,表现了孔子对鬼神、祈祷的一种理性态度。子路对于鬼神生死之事较为关心,孔子向他讲了"未能事人,焉能事鬼?"和"未知生,焉知死?",此处孔子又反对"祷"于神明以求病愈。孔子重天命,更重人事,持"尽人事以听天命"的态度。同时可见子路对孔子的感情之深。……而子路请祷,孔子是以不许,又不直拒之,云"丘之祷久矣",以示无所事祷之意。

7.35

子曰："奢则不孙，俭则固。与其不孙也，宁固。"

The Master said, "Extravagance leads to insubordination, and parsimony to meanness. It is better to be mean than to be insubordinate."

【译文】孔子说："奢侈就会不谦逊，节俭就会固陋。与其不谦逊，宁肯固陋。"

【解读】物质会潜移默化地影响人的品行。一个人生活过于奢华，他就会不知爱惜，就会养成随心所欲的习惯，天长日久傲慢心理逐渐形成，盛气凌人便不在话下。过于节俭就会惜财如命，时间长了就会因斤斤计较而变得固执。奢与俭相比较哪个好？孔子认为都不好。杨朝明《论语诠解》指出，孔子以为虽然不逊与固陋俱为失德，然两害相权取其轻，宁固陋而不要不逊。这一点对于统治者而言尤其重要。因此孔子即主张生活应当节俭而不要奢华，奢华带来的骄傲情绪会带来极大的危害，甚至威胁到政权的生死存亡。

7.36

子曰："君子坦荡荡，小人长戚戚。"

The Master said, "The superior man is satisfied and composed; the mean man is always full of distress."

【译文】孔子说："君子心胸平坦宽广，无忧无虑；小人心胸狭窄，经常忧惧不安。"

【解读】"君子坦荡荡，小人长戚戚"早已成了人们的座右铭。孔子言简意赅又意味深长地告诉了世人君子与小人为人处事的心态。这种心态对比具有强烈的冲击感，直达心扉，发人深省。

君子坦荡荡，小人长戚戚　李岩　绘

7.37

子温而厉，威而不猛，恭而安。

The Master was mild, and yet dignified; majestic, and yet not fierce; respectful, and yet easy.

【译文】孔子温和而严厉，威严而不凶猛，恭敬而安详。

【解读】孔子是表里如一的谦谦君子，无论是内在的品德修养，还是外在的言行举止，都是常人无法企及的，望之令人高山仰止。在弟子的眼中，老师温和之中蕴含着严肃，庄严之下显露着平易，谦恭之间呈现着从容。这是一种自然流露，不做作，不拿捏，只有修养极高的人才能做到。

泰伯第八

8.1

子曰："泰伯，其可谓至德也已矣！三以天下让，民无得而称焉。"

The Master said, "T'ai-po may be said to have reached the highest point of virtuous action. Thrice he declined the kingdom, and the people in ignorance of his motives could not express their approbation of his conduct."

【译文】孔子说："泰伯，可以说是道德最高的了！他多次把天下让给弟弟季历（文王姬昌之父），民众找不到恰当的词语来称赞他。"

【解读】周太王生有三子，即泰伯、仲雍、季历。传说，太王发现季历的儿子姬昌有圣德，欲打破惯例，将君位不传给长子泰伯，而传给三子季历，以便再传给姬昌。泰伯明白太王用意，既恐太王为难，又担心季历不受，于是就与仲雍出走至吴，使季历得以继位，最终传位于姬昌（文王），成就了兴周大业。这种让贤精神，受到了孔子的高度评价。

8.2

子曰："恭而无礼则劳，慎而无礼则葸[1]，勇而无礼则乱，直而无礼则绞[2]。君子笃于亲，则民兴于仁；故旧不遗，则民不偷[3]。"

The Master said, "Respectfulness, without the rules of propriety, becomes laborious bustle; carefulness, without the rules of propriety, becomes timidity; boldness, without the rules of propriety, becomes insubordination; straightforwardness, without the rules of propriety, becomes rudeness. When those who are in high stations perform well all their duties to their relations, the people are aroused to virtue. When old friends are not neglected by them, the people are preserved from meanness."

【注释】［1］葸（xǐ）：胆怯，畏惧。［2］绞：刺伤人。［3］偷：苟且敷衍，薄情寡义。

【译文】孔子说："谦恭过度而不符合礼就会
有劳倦之感，谨慎过度而不符合礼就会畏惧
不前，勇敢过度而不符合礼就会违法作乱，
直率过度而不符合礼就会尖刻伤人。在上位
的君子对待亲族感情笃厚，老百姓就会走向
仁德；不遗弃故交旧友，老百姓就不会待人
淡薄。"

【解读】孔子尤为重视"礼"的应用，认为人的
一切社会活动都要符合礼的要求，哪怕是恭
敬谨慎、勇敢直率等美好的品行，也要受到
礼的制约。过犹不及，这使我们想起了中庸
之道。礼制的要求也要适可而止，西周时期
有土揖、时揖、天揖、特揖、旅揖、旁三揖
等礼仪，周王会见诸侯国君，行什么礼，回
什么礼，行到什么程度都有严格规定，否则
就是失礼。儒家准则要求凡事都要适度合宜，
尺度恰当，否则就会产生事与愿违的不良结
果。"君子德风"，上位君子如能善待族人

并率先垂范，全民就会争先仿效，仁德之风大兴；如能不忘旧情，则人人就能相互友爱，民德归厚。

8.3

　　曾子有疾，召门弟子曰："启予足！启予手！《诗》云：'战战兢兢，如临深渊，如履薄冰。'而今而后，吾知免夫。小子！"

The philosopher Tsang being ill, he called to him the disciples of his school, and said, "Uncover my feet, uncover my hands. It is said in the *Book of Poetry*, 'We should be apprehensive and cautious, as if on the brink of a deep gulf, as if treading on thin ice,' and so have I been. Now and hereafter, I know my escape from all injury to my person, O ye, my little children."

【译文】曾子有病，召唤弟子们说："打开被子看看我的脚！看看我的手！《诗经·小旻》说：'战战兢兢，如临深渊，如履薄冰。'从今以后，我知道自己可以免于刑戮伤残之害了，孩子们！"

【解读】曾子认真听取了孔子的教诲，非常重视孝道，无疑是孔子讲的"身体发肤，受之父母，不敢毁伤"，就是要求人这一生都要保持身体的健全完整，敬畏生命，这才能算尽孝。免夫，是指免于刑戮。人若受到刑戮，身体毁伤，必然有辱父母，是一种大不孝。人的一生是那样的漫长又多灾多难，即使行事谨慎，也难免遇到坎坎坷坷，一不小心伤及身体。那就需要不断地警醒自己，"战战兢兢，如履薄冰"，时常保持危机意识和敬畏意识，严格约束自己的行为，谨慎认真地做好每件事。

8.4

曾子有疾，孟敬子[1]问之。曾子言曰：
"鸟之将死，其鸣也哀；人之将死，其言也善。
君子所贵乎道者三：动容貌，斯远暴慢矣；
正颜色，斯近信矣；出辞气[2]，斯远鄙倍[3]
矣。笾豆[4]之事，则有司存。"

The philosopher Tsang being ill, Meng Chang
went to ask how he was. Tsang said to him, "When
a bird is about to die, its notes are mournful; when
a man is about to die, his words are good. There are
three principles of conduct which the man of high
rank should consider specially important: — that in
his deportment and manner he keep from violence
and heedlessness; that in regulating his countenance
he keep near to sincerity; and that in his words and
tones he keep far from lowness and impropriety. As
to such matters as attending to the sacrificial vessels,

there are the proper officers for them."

【注释】［1］孟敬子：鲁国大夫仲孙捷。［2］辞气：言辞声气。［3］鄙：鄙陋，粗野。倍：背离，乖戾。［4］笾豆：祭奠时盛食物的礼器，竹制为笾，木制为豆。

【译文】曾子有病，孟敬子探问他。曾子说道："鸟在快要死的时候，它的叫声哀凄；人在快要死的时候，他的言辞善良。君子所重视的处事之道有三：整肃容貌，就会远离粗暴和怠慢；端庄脸色，就会近于诚信；讲究言辞高雅的表达艺术，就会远离粗俗和乖戾。至于陈设笾豆祭祀之类的事情，自有主管人员负责。"

【解读】就本章而言，曾子的君子之德可见一斑。孟敬子是执政者，从"鸟之将死，其鸣也哀；人之将死，其言也善"可看出二人关系非同一般。该句言辞恳切，语重心长，同时也蕴

含着一丝歉意，一片好心。接着曾子跟孟敬
子讲理政修身、执礼处世的道理。为何曾子
只选择"动容貌""正颜色""出辞气"？
那是因为孟敬子在这些方面是有所欠缺的。
程树德《论语集释》指出，敬子为人，证之《檀
弓》，其举动任性，出言鄙倍。曾子亦知其
不可教，特因其问疾而来，尚有一线好贤之诚，
故以将死之言先明己意，而后正言以告之，
仁之至，义之尽也。

8.5

曾子曰："以能问于不能，以多问于寡，有若无，实若虚，犯而不校[1]，昔者吾友尝从事于斯矣。"

The philosopher Tsang said, "Gifted with ability, and yet putting questions to those who were not so; possessed of much, and yet putting questions to those possessed of little; having, as though he had not; full, and yet counting himself as empty; offended against, and yet entering into no altercation; formerly I had a friend who pursued this style of conduct."

【注释】［1］校（jiào）：计较。

【译文】曾子说："有能力却向没能力的请教，知识多却向知识少的请教，有却像无，实却像虚，别人冒犯却不计较，过去我的朋友曾经这样做过。"

【解读】本章中曾子强调了学子应有的精神态度，那就是虚怀若谷、不耻下问。尺有所短，寸有所长，能与不能、多与少是就事物的特定方面而言的。每个人也都各有优长和不足，所以，在学习上既要向有知识、有才能的人学习，又要向少知识、少才能的人学习。我们需要做的是学会不耻下问，不要盯着别人的短处去计较，而是积极主动地学习他人的优长。"择其善者而从之"，才能使自己的学问和能力不断地充实和完善。孔子曾经请教于师襄、老子、苌弘、郯子等人。师襄等人，"其贤不及孔子"，但他们"术业有专攻"，孔子还是虚心师其长处。

8.6

曾子曰："可以托六尺之孤[1]，可以寄百里[2]之命，临大节而不可夺也，君子人与？君子人也！"

The philosopher Tsang said, "Suppose that there is an individual who can be entrusted with the charge of a young orphan prince, and can be commissioned with authority over a state of a hundred *li*, and whom no emergency however great can drive from his principles: — is such a man a superior man? He is a superior man indeed."

【注释】［1］六尺之孤：幼年孤儿。［2］百里：方圆百里的诸侯国。

【译文】曾子说："可以把幼年孤主托付给他，可以把国家的命运寄托给他，面临生死存亡

之重要关头而志不可夺，这算是君子一类的
人吧？无疑是君子一类的人！"

【解读】本章讲君子品格。每一个人无论是治学、
修身，还是为政，都要做君子，严格依照君
子的标准去立身处世、治国理政。做人要有
操守，君子是讲道德、有才华、有节操的人；
是重任在肩，不推脱，不逃避，能临危受命，
能把国家重任肩负起来的人。君子"泰山崩
于前而不惊"，从容面对，慷慨取义。

8.7

曾子曰："士不可以不弘毅，任重而道远。仁以为己任，不亦重乎？死而后已，不亦远乎？"

The philosopher Tsang said, "The officer may not be without breadth of mind and vigorous endurance. His burden is heavy and his course is long. Perfect virtue is the burden which he considers it is his to sustain; — is it not heavy? Only with death does his course stop; — is it not long?"

【译文】曾子说："士不可不宽宏坚毅，因为任重而道远。以践行仁为己任，不也重吗？到死才停止，不也远吗？"

【解读】曾子的这句著名言论，在漫长的中华文化史上产生了巨大而深远的影响，激励了

曾子曰士不可以不弘毅任重而道遠仁以為己任不亦重乎死而後已不亦遠乎

語出泰伯篇第七章

時在己亥秋月張仲亭敬書

录《论语》句　张仲亭 书

无数的仁人志士献身于治国平天下的宏图伟业中去。"弘毅"更成为有志之士自强不息、志存高远的标准。儒家的伟大抱负是以天下苍生为己任，推行"仁"，实现"仁"，自觉承担起实现天下大同的历史使命。人生畅达就主动承担推动社会发展的重任，仕途困窘就保持自己良好的仁德修养，不慕名利，不计得失，无怨无悔，死而后已。

8.8

子曰："兴于《诗》，立于礼，成于乐。"

The Master said, "It is by the *Odes* that the mind is aroused. It is by the Rules of Propriety that the character is established. It is from Music that the finish is received."

【译文】孔子说："兴起于《诗》，立身于礼，成身于乐。"

【解读】诗、礼、乐是礼乐制度的根基，它们构成了西周"和谐有序"的社会形态，同时也是礼乐教育的核心。孔子认为，一个健全的人格离不开诗、礼、乐的教化，三者在教育过程中起到不同作用。杨朝明《论语诠解》指出，《诗》，能启迪性情，所谓"温柔敦厚"之诗教，盖此为化民之先。《礼》，能规范人之举止、约束性情，所谓"恭俭庄敬"之礼教，盖此为化民之要。《乐》，感染陶冶之功能莫大乎此，所谓"广博易良"之乐教，盖此为化民之本。

8.9

子曰："民可使由 [1] 之，不可使知之。"

The Master said, "The people may be made to follow a path of action, but they may not be made to understand it."

【注释】［1］由：遵从，遵行。

【译文】孔子说："民众可以使他们遵从着政令去做，不可使他们知道那是为什么。"

【解读】关于这句话，不少人认为反映出孔子的愚民思想。事实上，有不少事情是人们时常行着、用着却讲不明道理的。钱穆认为，有些事情是不需要向民众讲明道理或意图的。比如上章孔子所说的"兴于《诗》，立于礼，成于乐"，人们只需知道学《诗》、学乐、按礼行事，以礼规范自己的行为即可，不一定非得要求他们讲明白"兴于《诗》，立于礼，成于乐"的道理或理论。

8.10

子曰："好勇疾贫，乱也。人而不仁，疾之已甚，乱也。"

The Master said, "The man who is fond of daring and is dissatisfied with poverty, will proceed to insubordination. So will the man who is not virtuous, when you carry your dislike of him to an extreme."

【译文】孔子说："好勇之人若疾恨自己贫穷，容易生乱。人若不仁，你对他疾恨太厉害，也容易造成祸乱。"

【解读】好勇者逞血气之强，往往好斗，给社会带来不安。怨恨自己贫穷者往往对富者心存嫉妒，对社会不满，怨甚者会有危害他人及社会之乱行。孔子认为，"勇"是优点，

但要符合仁、礼、义，"勇而无礼则乱"，
"有勇而无义为乱"。改变贫穷要符合仁道，
要靠自己的劳动和努力。

8.11

子曰："如有周公之才之美，使骄且吝，其余不足观也已。"

The Master said, "Though a man have abilities as admirable as those of the Duke of Chau, yet if he be proud and niggardly, those other things are really not worth being looked at."

【译文】孔子说："如果有周公那样的才能，那样的美质，假使骄傲而且吝啬，那么其余的一切也就不值得看了。"

【解读】周公在我国历史上是一位殿堂式人物，他为周王朝的长治久安呕心沥血。他礼贤下士，辅佐武王，致政成王，没有半点骄吝之气，本章是针对当政者而言，孔子借此对他们的骄吝之气予以教诫。

8.12

子曰:"三年学,不至于穀[1],不易得也。"

The Master said, "It is not easy to find a man who has learned for three years without coming to be good."

【注释】[1] 穀(gǔ):俸禄,古以谷米为俸禄。

【译文】孔子说:"学了三年,还没想到做官受禄,这种人很难得啊!"

【解读】孔子虽然强调"学而优则仕",但他育人的目的不仅仅是为了让学生出仕为官,而是把他们培养成谦谦君子。在孔子的教学中,学生要先学会做人,知廉耻、懂仁义,知孝道、懂礼仪,然后达到明辨是非,熟知礼法形成健全的人格。有了德才兼备的健全人格，才能出仕为官，而三年之期是难以成才的。孔子告诫弟子，要潜心修学，不要急功近利。

8.13

子曰："笃信好学，守死善道。危邦不入，乱邦不居。天下有道则见 [1]，无道则隐。邦有道，贫且贱焉，耻也。邦无道，富且贵焉，耻也。"

The Master said, "With sincere faith he unites the love of learning; holding firm to death, he is perfecting the excellence of his course. Such an one will not enter a tottering state, nor dwell in a disorganized one. When right principles of government prevail in the kingdom, he will show himself; when they are prostrated, he will keep concealed. When a country is well-governed, poverty and a mean condition are things to be ashamed of. When a country is ill-governed, riches and honour are things to be ashamed of."

【注释】　[1]见（xiàn）：同"现"，出现。

【译文】孔子说："真诚相信，好好学习，死守好的思想学说。危险的国家不进入，动乱的国家不居留。天下有道就出来，无道就退隐。国家有道，如果自己贫贱，就是耻辱。国家无道，如果自己富贵，也是耻辱。"

【解读】孔子面对春秋乱世，自觉地成为"道"的承担者和守护者。本章是孔子向弟子们传授为官之道，要"笃信好学，死守善道"。同时还要"危邦不入，乱邦不居。天下有道则见，无道则隐"，这是告诫弟子乱世中的处世原则。

仔细品读孔子的处世原则，我们可以猜测是孔子受困于当时社会环境不得已为之的原则。在"礼崩乐坏"的大时代背景下，那种忧愤而无奈的心情，对于现实不满又无法凭借一己之力改变现状的那份焦灼跃然纸上。

孔子还把个人的贫贱荣辱与国家的兴衰紧密地联系在一起，这关乎个人修养与品德，可以衡量一个人道德水平的高低。

张博 制

8.14

子曰："不在其位，不谋其政。"

The Master said, "He who is not in any particular office, has nothing to do with plans for the administration of its duties."

【译文】孔子说："不在那个职位，就不谋虑那个方面的政事。"

【解读】名不正，则言不顺；言不顺，则事不成。孔子非常看重名分，认为执政者要各司其职，安分守己。在这个社会上，每个人都应找准自己的位置，把自己的工作做好，这是一种十分中肯的自我定位，这和《中庸》里面说的"君子素其位而行，不愿乎其外"有异曲同工之妙。

不在其位，不谋其政　韩新维　绘

8.15

子曰："师挚[1]之始，《关雎》之乱[2]，洋洋乎盈耳哉！"

The Master said, "When the music master Chih first entered on his office, the finish of the *Kwan Tsu* was magnificent; — how it filled the ears!"

【注释】[1]师挚：鲁国乐师，名挚。[2]乱：乐曲的终章为合奏，故称"乱"。

【译文】孔子说："从师挚开始演奏乐曲，到《关雎》乐结束，美盛之音充盈于耳啊！"

【解读】"乐可怡情，亦可治国"，音乐可以用来陶冶情操、净化心灵，在古代社会还被用来教化民众、端正民心、汇聚民力，以达到治国平天下的目的。

8.16

子曰："狂而不直，侗而不愿[1]，悾悾[2]而不信，吾不知之矣。"

The Master said, "Ardent and yet not upright; stupid and yet not attentive; simple and yet not sincere: — such persons I do not understand."

【注释】［1］侗：通"僮"，童稚。愿：老实，厚道。［2］悾悾：诚恳的样子。

【译文】孔子说："狂放而不直率，幼稚而不老实，诚恳而不诚信，我不知道这些人为什么会这样。"

【解读】本章讲述的是孔子对三种表里不一、内外相违的人的批评，其实更是对人性虚伪的一种批判。每个人都会有两面性，这是由公序良俗及个人道德修养决定的，其两面性都有不同的底线，那就是"过犹不及"。然而这三种人造作虚伪，共同的缺陷便是缺乏内在的道德修养。虚伪的人不会有肺腑之言，不会有坦率之行，往往口是心非，有时还会隐藏着叵测之心。孔子欣赏"文、行、忠、信"表里如一、豁达明朗的翩翩君子。

8.17

子曰："学如不及，犹恐失之。"

The Master said, "Learn as if you could not reach your object, and were always fearing also lest you should lose it."

【译文】孔子说："学习好像来不及似的，还怕失去了。"

【解读】本章阐述了孔子对待学习的心态。"学如不及"体现的是在追求知识的过程中，"吾生也有涯，而知也无涯"的紧迫感，而"犹恐失之"则体现了孔子在"守护旧知"过程中的小心和谨慎。君子求学，如同常人求利，未得之前，急迫求之；已然得到，又恐失去。君子终其一生勤学不懈，守护美德，如履薄冰。

8.18

子曰："巍巍乎，舜、禹之有天下也，而不与[1]焉。"

The Master said, "How majestic was the manner in which Shun and Yu held possession of the empire, as if it were nothing to them!"

【注释】［1］与：通"豫"，喜悦，高兴。

【译文】孔子说："伟大啊！舜、禹得到上代帝王禅让的帝位，却因考虑到压力和责任而高兴不起来。"

【解读】孔子这里带着羡慕的情感来赞誉舜、禹，也是对彼时各诸侯国时常发生弑君篡位现实的抨击。

孔子并未强调舜、禹的功绩，而是赞美

他们忧国忧民、敬畏权力的仁君之德。担天下之责，不是为取天下之利；承天下之重，不是为享天下之乐。

8.19

子曰："大哉，尧之为君也！巍巍乎，唯天为大，唯尧则之。荡荡乎，民无能名^[1]焉。巍巍乎，其有成功也。焕乎，其有文章。"

The Master said, "Great indeed was Yao as a sovereign! How majestic was he! It is only Heaven that is grand, and only Yao corresponded to it. How vast was his virtue! The people could find no name for it. How majestic was he in the works which he accomplished! How glorious in the elegant regulations which he instituted!"

【注释】［1］名：称道。

【译文】孔子说："伟大啊，尧做君主！伟大啊，只有天最大，只有尧能效法它。仁德浩荡啊，民众无法用恰当的语言称道他。伟大啊，他

有那么大的功绩。熠熠生辉啊，他有完美的
礼乐典章。"

【解读】唐尧，五帝之一，《史记·五帝本纪》
中记载："其仁如天，其知如神。就之如日，
望之如云。"孔子在这里对尧的赞颂亦是以
"青天"作比，以"光辉"作喻，极力赞美
尧为政以德、天下为公的为政之道；称颂其
完善政治，制定礼制的历史功绩。这一章中，
孔子从三个方面赞颂尧的伟大与崇高：为政
以道，为君以德，治国以礼。其中尧制定的
礼乐制度，创造的文化传统，后经周公发扬
为"周礼"，成为孔子毕生学习的重要内容。
孔子一生致力于继承发扬周礼，憧憬唐尧时
代所构建的美好政治局面，他不厌其烦地追
述尧的美德与功绩，也是要为后世君主树立
一个可效法的典范。

8.20

舜有臣五人而天下治。武王曰:"予有
乱[1]臣十人。"孔子曰:"才难,不其然乎?
唐、虞之际,于斯为盛。有妇人焉,九人而已。
三分天下有其二,以服事殷。周之德,其可
谓至德也已矣。"

Shun had five ministers, and the empire was
well-governed. King Wu said, "I have ten able
ministers." Confucius said, "Is not the saying that
talents are difficult to find, true? Only when the
dynasties of T'ang and Yu met, were they more
abundant than in this of Chau, yet there was a woman
among them. The able ministers were no more than
nine men. King Wan possessed two of the three parts
of the empire, and with those he served the dynasty of
Yin. The virtue of the house of Chau may be said to
have reached the highest point indeed."

【注释】 [1] 乱：治。

【译文】 舜有大臣五人就使天下大治。武王说："我有治臣十人。"孔子说："人才难得，不确是如此吗？尧舜之下，武王时人才确为兴盛。但武王所说的十人，其中有位女性（文母），男性不过九人罢了。文王为诸侯时得到天下的三分之二，仍然称臣事商。周的道德，可以说是至高无上的了。"

【解读】 本章为孔子总结前世并感慨人才难得，及赞美周文王之德。在孔子的评判标准中，德行是第一位的。那谁才是孔子心中完美的人才？"君极唯尧，子极唯舜，臣极唯文王"，在孔子心中，周文王当是第一人选。商代末期，文王所带领的诸侯国已经获得了天下三分之二的部落首领的支持，有充分的实力取而代之。但文王仍臣服殷商，这种谦德难能可贵！

8.21

子曰："禹，吾无间然[1]矣。菲[2]饮食而致孝乎鬼神，恶衣服而致美乎黻冕[3]，卑宫室而尽力乎沟洫。禹，吾无间然矣。"

The Master said, "I can find no flaw in the character of Yu. He used himself coarse food and drink, but displayed the utmost filial piety towards the spirits. His ordinary garments were poor, but he displayed the utmost elegance in his sacrificial cap and apron. He lived in a low mean house, but expended all his strength on the ditches and water-channels. I can find nothing like a flaw in Yu."

【注释】[1]间然：非议。[2]菲：薄。[3]黻（fú）冕：礼服礼帽。

【译文】孔子说："禹，我对他没有可非议的。

180

节省饮食却用丰盛的祭品向鬼神尽孝心，穿粗劣的衣服却把祭祀的礼服做得很华美，住简陋的宫室却尽财力于治理沟渠水利。禹，我对他没有可非议的。"

【解读】本章是孔子对夏禹德行的赞美，其中孔子两次提到"禹，吾无间然矣"，是对禹节俭而又敬事品质的肯定。从语境上看，这里很像是孔子在回答别人提出的关于禹的问题。对比前几章赞美尧舜毫不吝啬的华美语言，这里评价禹的语气更为客观和笃定。那圣王夏禹有何值得"非议"之处呢？在禹之前，王位继承是"举贤任能"的禅让制度。自禹起，"公天下"被"家天下"的世袭制所替代。其中因果，未有定论。这或许就是禹遭到后世"非议"的原因所在。对于这一事件，孔子并无评议，只是列举禹薄衣菲食、克勤克俭、敬天法祖、整治水患等事例。禹是执政者的榜样，有什么可去非议的呢？

子罕第九

9.1

子罕言利与命与仁 [1]。

The subjects of which the Master seldom spoke
were—profitableness, and also the appointments of
Heaven, and perfect virtue.

【注释】[1]罕言：很少说。与：连词，和。

【译文】孔子很少谈利益、命运和仁德。

【解读】《论语》一书中，孔子多次谈到命，谈仁更是上百次之多。说"罕言"，殊为费解。关于这句话的理解，历来存在较大分歧，本书赞同刘宝楠、黄怀信两家的解说。清刘宝楠的《论语正义》曰："利、命、仁三者，皆子所罕言，而言'仁'稍多，言'命'次之，言'利'最少。故以'利'承'罕'言之文，而于'命'、于'仁'则以两'与'字次第之。……
阮氏元的《论语·论仁篇》：'孔子言仁者详矣，
曷为曰罕言也？所谓罕言者，孔子每谦不敢
自居于仁，亦不轻以仁许人也。'"黄怀信
的《论语新校释》曰："先生很少谈（自己的）
利益、命运和仁德。……此章说孔子为人。
'君子喻于义，小人喻于利'，故罕言利；'死
生有命，富贵在天'，故罕言命；不以仁者自许，
故罕言仁，谦也。"高尚举的《论语误解勘正》
详列十余家解说并有辨析，可参考。

9.2

达巷党人曰："大哉孔子！博学而无所成名。"子闻之，谓门弟子曰："吾何执？执御乎？执射乎？吾执御矣。"

A man of the village of Ta-hsiang said, "Great indeed is the philosopher K'ung! His learning is extensive, and yet he does not render his name famous by any particular thing." The Master heard the observation, and said to his disciples, "What shall I practise? Shall I practise charioteering, or shall I practise archery? I will practise charioteering."

【译文】达巷的乡亲说："伟大啊孔子！学问广博，却无一技艺专长成就他的名声。"孔子听到后，对自己的学生说："那我专门执掌什么呢？专掌驾车呢？还是专掌射箭呢？我专掌驾车好了。"

【解读】孔子学问广博，没有专一的技艺使他成名，因为每一项都是他的专长，无人能够与之比拟。这样的人怎能不让人钦佩？本章赞誉孔子的话，是熟悉孔子的人在孔子在世时所说，而且不是当面恭维，此话当是中肯的。孔子说："那我专门执掌什么呢？专掌驾车呢？还是专掌射箭呢？我专掌驾车好了。"此话看似很谦恭，其实是很无奈，身为人师，难道还要练习驾车射箭？他对弟子们的作答也是话里有话：我现在还能干什么呢？英雄无用武之地啊！我只好带领你们继续践行我们的事业，做一位道路引领者。

9.3

子曰："麻冕，礼也；今也纯 [1]，俭，吾从众。拜下，礼也；今拜乎上，泰 [2] 也。虽违众，吾从下。"

The Master said, "The linen cap is that prescribed by the rules of ceremony, but now a silk one is worn. It is economical, and I follow the common practice. The rules of ceremony prescribe the bowing below the hall, but now the practice is to bow only after ascending it. That is arrogant. I continue to bow below the hall, though I oppose the common practice."

【注释】［1］纯：丝。［2］泰：骄泰。

【译文】孔子说："用麻布做帽子，是合乎礼的；现今大都用丝帛来做，工料俭省，我随从众

俗。臣见君，先在堂下拜，然后又在堂上拜，
这是合乎礼的；现今大都只在堂上拜，这是
骄泰倨傲的表现。虽然违背大家，我仍然主
张要先在堂下拜。"

【解读】孔子特别注重"礼"在社会实践交往
中的运用。如何遵守传统礼制？虽然孔子倡
导"博学于文，约之以礼"，但并非固执己
见、一成不变，他也讲变通。对于日常穿戴，
材料质地有所改变且又有所节俭，孔子是认
同的，毫不固执守旧。但对于君臣相见之礼，
孔子认为这是大原则，关乎社会秩序、行为
规范，不可马虎从事。历史过滤了许多礼的
因素，但传统文化的精神内涵保留至今。

9.4

子绝四：毋意，毋必，毋固，毋我。

There were four things from which the Master was entirely free. He had no foregone conclusions, no arbitrary predeterminations, no obstinacy, and no egoism.

【译文】孔子杜绝四种毛病：不凭空猜测臆度，不持绝对态度，不拘泥固执，不唯我独是。

【解读】这是孔子的修养，能够达到"毋意，毋必，毋固，毋我"的境界非常不易。我们在平时做事情时，要拥有宽广的胸怀，切勿凭空揣测。每件事情都会有变化，我们不能持绝对的态度去处理事情。对别人的意见要虚心听取，不要拘泥固执，也不要唯我独尊。要倾听他人的意见，集中多人的智慧，才能做出正确的选择。

9.5

子畏于匡 [1]，曰："文王既没，文不在兹乎？天之将丧斯文也，后死者不得与于斯文也；天之未丧斯文也，匡人其如予何？"

The Master was put in fear in K'wang. He said, "After the death of King Wan, was not the cause of truth lodged here in me? If Heaven had wished to let this cause of truth perish, then I, a future mortal, should not have got such a relation to that cause. While Heaven does not let the cause of truth perish, what can the people of K'wang do to me?"

【注释】[1] 畏：一说，畏是围的通假字；一说，畏是围的误字。匡：卫国匡邑，在今河南长垣县西南。

【译文】孔子被围困在卫国匡地，说："周文

子畏于匡　韦辛夷　绘

王虽然已经死了，但周代的文化不是都在我这里吗？上天如果要灭掉这文化，就不会让我得到这文化了；上天不想灭掉这文化，匡人他能把我怎么样？"

【解读】杨朝明《论语诠解》指出，本章反映了孔子以后死者自居，以传承中华文明、继承文王之道为己任的历史责任感和使命感。孔子信奉道义，把传承文武之道作为自己的毕生事业，始终有坚定的信念，任何人都难以使之屈服和动摇。孔子面对危机非常冷静，也非常自信，这种自信源自心中无比坚定的正义感。

9.6

大宰问于子贡曰："夫子圣者与？何其多能也？"子贡曰："固天纵之将圣，又多能也。"子闻之，曰："大宰知我乎！吾少也贱，故多能鄙事。君子多乎哉？不多也。"牢 [1] 曰："子云：'吾不试 [2]，故艺 [3]。'"

A high officer asked Tsze-kung, saying, "May we not say that your Master is a sage? How various is his ability!" Tsze-kung said, "Certainly Heaven has endowed him unlimitedly. He is about a sage. And, moreover, his ability is various." The Master heard of the conversation and said, "Does the high officer know me? When I was young, my condition was low, and therefore I acquired my ability in many things, but they were mean matters. Must the superior man have such variety of ability? He does not need variety of ability." Lao said, "The Master said, 'Having no official employment, I acquired many arts.' "

【注释】[1]牢：汉代郑玄《论语郑氏注》曰："孔子弟子子牢也。"[2]试：任用。[3]自"牢曰"起本为独立之第七章，朱熹《四书章句集注》把六、七章合并起来，故本篇共三十章，今从之。

【译文】太宰向子贡问道："孔老夫子是圣人吧？为什么他那么多才艺？"子贡说："这本来就是上天让他成为圣人，又赋予他很多才艺。"孔子听到这话，说："太宰了解我吗？我少年时很贫贱，所以会做很多鄙贱的事情。有地位、生活条件优越的人会有这么多技能吗？不会有这么多技能。"子牢说："孔子说：'我不被国家任用为官，所以学习了许多技艺。'"

【解读】孔子的多艺，并不是天生就具备的，而是经过后天生活的历练，日积月累形成的。"时势造英雄，逆境出人才"，想要在逆境中成长，首先要有坚韧不拔的毅力，不耻下问、穷究不舍的精神。孔子穷且益坚，不坠青云之志，周游列国，讲学授徒，将自己的理想付诸行动。正所谓堆土成山，聚水成渊，这就是坚持的力量，信念的力量。

9.7

子曰："吾有知乎哉？无知也。有鄙夫[1]问于我，空空如也。我叩[2]其两端而竭焉。"

The Master said, "Am I indeed possessed of knowledge? I am not knowing. But if a mean person, who appears quite empty-like, ask anything of me, I set it forth from one end to the other, and exhaust it."

【注释】[1]鄙夫：鄙陋者，学识浅薄者。[2]叩：叩问，询问。

【译文】孔子说："我有知识吗？没有知识啊。有个学识浅薄的人来问我问题，我心里空空的。我只是问了问事情的始末就什么也答不出来了。"

【解读】此章言孔子谦虚，他并不认为自己有渊博的知识，对事物无所不知。为证明自己"无知"，特举此例。孔子实事求是，诚恳地承认自己也有"不知"的时候。事实也是如此，任何人无论学识何等渊博，也不可能做到无所不知。

9.8

子曰："凤鸟不至，河不出图，吾已矣夫[1]！"

The Master said, "The FANG bird does not come; the river sends forth no map: — it is all over with me!"

【注释】[1]凤鸟不至：传说舜时凤凰出现过。河不出图：传说伏羲时有龙马负图而出。凤凰出现，黄河出图，都是祥瑞，预示圣人受命，天下太平。

【译文】孔子说："凤凰不出现，黄河不出图，我这一生恐怕就这样完结了吧！"

【解读】时人认为，"凤凰""河图"是祥瑞之兆，只有盛世之时才会出现。孔子看不到祥瑞，流露出悲观情绪。孔子之所以会有这样的感触，是因当时社会圣道不彰。这是他为自己的政治抱负难以实现发出的感叹，也是对世道没落的无情讥讽。有专家考证，孔子说出此话时为鲁哀公十四年（前481年），该年正是人们熟知的"西狩获麟"之时。故而，孔子发出了这一哀叹！

9.9

子见齐衰[1]者、冕衣裳者与瞽者，见之，
虽少，必作；过之，必趋。

When the Master saw a person in a mourning
dress, or any one with the cap and upper and
lower garments of full dress, or a blind person, on
observing them approaching, though they were
younger than himself, he would rise up, and if he
had to pass by them, he would do so hastily.

【注释】［1］齐衰（zī cuī）：丧服中五服之第
二种。五服：指斩衰、齐衰、大功、小功、缌麻。

【译文】孔子遇到穿丧服的人、戴礼帽的人和
盲人，见到他们时，即使是年少，也一定起
身示敬；从他们身边经过，一定小步快走。

【解读】本章是讲孔子遵循礼制的态度。依礼行事是孔子做人的原则，无论何时何地都要自觉地怀着一颗敬畏之心真诚对待。孔子能够不论何时何地、不论年龄大小对齐衰者、冕衣裳与瞽者表示尊重，可以看出他在"礼"面前是何等谦恭。没有高贵之分，没有贫富之别。这种尊重不单是礼的要求，也是孔子仁爱之心、悲悯之心的自然流露。

9.10

颜渊喟[1]然叹曰："仰之弥高，钻之弥坚。瞻之在前，忽焉在后。夫子循循然善诱人，博我以文，约我以礼，欲罢不能。既竭吾才，如有所立卓尔，虽欲从之，末由[2]也已。"

Yen Yuan, in admiration of the Master's doctrines, sighed and said, "I looked up to them, and they seemed to become more high; I tried to penetrate them, and they seemed to become more firm; I looked at them before me, and suddenly they seemed to be behind. The Master, by orderly method, skilfully leads men on. He enlarged my mind with learning, and taught me the restraints of propriety. When I wish to give over the study of his doctrines, I cannot do so, and having exerted all my ability, there seems something to stand right up before me; but though I wish to follow and lay hold of it, I really find no way to do so."

【注释】［1］喟（kuì）然：叹气的样子。［2］由：途径，路径。

【译文】颜渊慨叹说："越仰望越觉得高大，越钻研越觉得坚实。眼看着它似乎在前面，忽然间又觉得像是在后面。老师善于循序渐进地诱导人，用文化知识充实我，用礼仪规范约束我，想停止都不可能。我已经用尽了我的才智，但老师好像卓绝特立得难以企及，虽然想跟从他，但感到没有路径。"

【解读】颜渊跟孔子学习，孔子的学识让颜渊感觉难以企及，不得其门而入。学生对老师的学识越是了解，就会越发地敬仰，从而能够正确地认识自己，激发自己的学习热情，欲罢不能。孔子教学一贯循循善诱，因材施教，善于启发学生去探究问题，好学者如着魔一般想着一探究竟。因为他学识渊博，他的学生也希望像老师一样博学多才，这是学生对自己成长进步的要求。但是，在求学的道路上，我们每个人都会遇到瓶颈，圣人的成功是不易复制的。所以，我们要学习孔子治学的方式，严谨的态度，保持自我的本心，看清自我的能力，设计符合自己的学习目标，完善自己的品性。我们不能超越圣人，但是我们可以仰望圣人，在追求真理的道路上，不断完善自我，超越自我。

9.11

子疾病，子路使门人为臣。病间 [1]，曰：
"久矣哉，由之行诈也！无臣而为有臣，吾谁
欺？欺天乎？且予与其死于臣之手也，无宁死
于二三子之手乎！且予纵不得大葬，予死于道
路乎？"

The Master being very ill, Tsze-lu wished
the disciples to act as ministers to him. During
a remission of his illness, he said, "Long has the
conduct of Yu been deceitful! By pretending to
have ministers when I have them not, whom should
I impose upon? Should I impose upon Heaven?
Moreover, than that I should die in the hands of
ministers, is it not better that I should die in the
hands of you, my disciples? And though I may not
get a great burial, shall I die upon the road?"

【注释】［1］病间（jiàn）：病初愈。

【译文】孔子病得很厉害，子路使孔门弟子充当家臣为其准备丧事。病初愈，孔子说："蓄谋已久了，仲由的这种欺假做法！没有臣却假装有臣，让我欺骗谁呢？欺骗老天吗？况且我与其死在臣的手里，还不如死在你们这些学生手里呢！况且我纵然不得用隆重的葬礼，我难道会横尸道路上吗？"

【解读】臣，指家臣。大夫以上有家臣，孔子曾为大夫，故子路计划以臣礼为孔子大办丧事。程树德《论语集释》引《王制》云："大夫废其事，终身不仕，死，以士礼葬之。"孔子早已退职，此时已无家臣，子路指使弟子充当家臣，孔子认为有悖礼法。再者，孔子平生尚俭，反对厚葬，反对铺张，所以对弟子们隆重办理丧事的行为极力反对。

9.12

子贡曰："有美玉于斯，韫椟[1]而藏诸？求善贾而沽[2]诸？"子曰："沽之哉！沽之哉！我待贾者也。"

Tsze-kung said, "There is a beautiful gem here. Should I lay it up in a case and keep it? Or should I seek for a good price and sell it?" The Master said, "Sell it! Sell it! But I would wait for one to offer the price."

【注释】[1]韫（yùn）：收藏。椟（dú）：匣子。[2]贾（gǔ）：商人。沽（gū）：卖。

【译文】子贡说："假如有一块美玉在这里，是放在匣子里藏起来呢？还是求识货的好商人把它卖掉呢？"孔子说："卖掉它啊！卖掉它啊！我正是在等待好商人呢。"

【解读】美玉没有利用起来的时候，与一块石头没什么区别。经过雕琢做成饰物放置厅堂或挂在身上，人人可见，就体现了它的价值。实现这个目的，就需要有人发现美玉，也只有识货之人才肯买下它。这样，美玉才能体现它的价值。这里的美玉寓意人才，孔子认为，人才应该被善于识才者发现，为他提供广阔的空间，在社会上发挥他的聪明才智，如此才能利国利民。孔子周游列国推广儒家学说，就是希望能够找到真正的明君，让他施展才能，实现自己的政治抱负。

9.13

子欲居九夷 [1]。或曰："陋，如之何？"子曰："君子居之，何陋之有？"

The Master was wishing to go and live among the nine wild tribes of the east. Some one said, "They are rude. How can you do such a thing?" The Master said, "If a superior man dwelt among them, what rudeness would there be?"

【注释】［1］九夷：东方落后部族。

【译文】孔子想移居九夷。有人说："那里太简陋，怎么办？"孔子说："君子居住，哪有什么简陋？"

【解读】孔子主张"危邦不入，乱邦不居"，他想居于九夷，寻找一方净土，可见彼时糟糕的社会现状。这与上章"求善贾而沽"以及《公冶长》中"道不行，乘桴浮于海"的心态是一致的。这里的"陋"，是指生活条件简陋。孔子认为"人能弘道"，决定因素在于人，甚至可以改变简陋环境。"此心安处是吾乡"，坚定信念，胸怀仁爱，一草一木都是情，何陋之有？今天我们要实现自己的人生价值，追求自己的理想，主观努力才是决定性的因素，环境是次要因素。

9.14

子曰："吾自卫反鲁，然后乐正，《雅》《颂》各得其所。"

The Master said, "I returned from Wei to Lu, and then the music was reformed, and the pieces in the *Royal Songs* and *Praise Songs* all found their proper places."

【译文】孔子说："我从卫国回到鲁国以后，错乱的乐章才得到了纠正，《雅》《颂》各自得到了应有的位置。"

【解读】本章字句简短且颇具深意。彼时"礼崩乐坏"，诗乐不谐，孔子归鲁后开始删《诗》《书》，定《礼》《乐》，使《雅》《颂》各得其所。这里告诉我们，诗与乐是紧密相关的，诗在当时是用来吟唱的，诗乐和谐，

也就是正雅颂之声，是引领社会风尚的绝佳
旋律。乐不正，诗则淫，诚如心不正，言行
必淫一般。孔子能够在诗与乐的搭配上拨乱
反正，使其达到"中正和谐"，功不可没。
所以，欣然之后，孔子自矜自得地说了此语。

9.15

子曰："出则事公卿，入则事父兄，丧事不敢不勉，不为酒困，何有于我哉？"

The Master said, "Abroad, to serve the high ministers and nobles; at home, to serve one's father and elder brothers; in all duties to the dead, not to dare not to exert one's self; and not to be overcome of wine: which one of these things do I attain to?"

【译文】孔子说："出外就事公卿，进家就侍奉父兄，办丧事不敢不勤勉，不被酒乱性，这些对于我来说有何难的？"

【解读】这是孔子告诫弟子的话。无论出仕为官，还是做事情，都要态度认真，严格按照礼制的要求为人处事。事公卿要忠，事父兄要孝，有丧事要尽心尽力、考虑周全，不能贪杯误事。

这些话仍然适用于今天。例如在单位要服从
领导安排，在家要孝顺父母，要热爱本职工作，
努力钻研业务。做事不认真，浪费的是生命，
事业也很难成功。

9.16

子在川上曰："逝者如斯夫！不舍昼夜。"

The Master standing by a stream, said, "It passes on just like this, not ceasing day or night!"

【译文】孔子在河边说："正在消逝的东西就像这水，日夜不息地流去。"

【解读】这是脍炙人口的名句，今人常常用来教育他人珍惜时间。其实，对于水，孔子有更深刻的哲学阐释。《荀子·宥坐》中曾经记载了孔子观水而发的一段议论，认为水有九德："孔子观于东流之水。子贡问于孔子曰：'君子之所以见大水必观焉者，是何？'孔子曰：'夫水遍与诸生而无为也，似德。其流也埤下，裾拘必循其理，似义。其洸洸乎不淈尽，似道。若有决行之，其应佚若声响，其赴百仞之谷不惧，似勇。主量必平，似法。盈不求概，似正。淖约微达，似察。以出以入，以就鲜洁，似善化。其万折也必东，似志。是故见大水必观焉。'"可见，孔子观水，由水的特性引发了对社会、人生等问题的思考。当年临川观水发出"逝者如斯"这番感慨时，孔子到底想了些什么？两千多年后的今天，仍然能够引起我们无尽的遐思。

张博 制

9.17

子曰："吾未见好德如好色者也。"

The Master said, "I have not seen one who loves virtue as he loves beauty."

【译文】孔子说："我没见过喜好道德像喜好美色一样的人。"

【解读】学者们根据《史记·孔子世家》的记载，大都认为这是针对卫灵公而言的，色，指卫灵公夫人南子。本来喜好美色是人的天性，所谓"食色，性也"，趋利避害同样也是人的天性。从这个意义上讲，好色者也好德，好德者也好色，并不矛盾。但如果厚色而薄德，人品就出现问题了。所以孔子发出了如此言论，他是多么希望人们都能像喜好美色那样喜好道德啊！

子在川上　于志学　绘

9.18

子曰："譬如为山，未成一篑，止，吾止也。譬如平地，虽覆一篑，进，吾往也。"

The Master said, "The prosecution of learning may be compared to what may happen in raising a mound. If there want but one basket of earth to complete the work, and I stop, the stopping is my own work. It may be compared to throwing down the earth on the level ground. Though but one basketful is thrown at a time, the advancing with it is my own going forward."

【译文】孔子说："好比堆土成山，只差一筐土未成，停止了，那是自己停止的。好比取土填平洼地，虽然刚刚倒下一筐土，进行下去，那是自己一往直前地做下去的（直至成功）。"

【解读】做事情要持之以恒，坚持就是胜利。目标再明确，不去行动，或者半途而废，那么永远不可能实现梦想。滴水穿石，久久为功。想成就大事业，一定要有顽强的意志，坚持到底，方可成功。我们做学问，做事情都要认真、坚持。认真去理解，坚持去实践。"世上无难事，只怕有心人"。只要我们肯努力，能坚持，一定可以把事情做好。

9.19

子曰："语之而不惰者，其回也与！"

The Master said, "Never flagging when I set forth anything to him; ah! that is Hui."

【译文】孔子说："跟他讲学问而始终不懈怠、不懒惰的，大概只有颜回吧！"

【解读】颜回在追随孔子的过程中，不管遇到任何困难，从未改变对孔子的信仰。最终，颜回成为孔子最得意的弟子，被后人尊称为"复圣"。孔子认为颜回勤奋好学，品行端正，心态平和，勤于思考，喜爱钻研具有做学问的美好品质，有道是"书山有路勤为径，学海无涯苦作舟"。做学问，没有人能随随便便成功，成功属于努力的人。

9.20

子谓颜渊，曰："惜乎！吾见其进也，未见其止也。"

The Master said of Yen Yuan, "Alas! I saw his constant advance. I never saw him stop in his progress."

【译文】孔子谈到颜渊，说："可惜他英年早逝！我只见他奋进不已，未见他停止不前。"

【解读】孔子对颜回的评价很高，因其从不动摇自己的信念，意志坚定，努力奋进，在求学之路上始终向前。知识是世界上最珍贵的财富，拥有它的过程是艰辛的，需要专心致志，锲而不舍。

9.21

子曰："苗而不秀者有矣夫！秀而不实者有矣夫！"

The Master said, "There are cases in which the blade springs, but the plant does not go on to flower! There are cases where it flowers, but no fruit is subsequently produced!"

【译文】孔子说："长苗而不开花吐穗的有吧！开花吐穗而不结果实的有吧！"

【解读】孔子在这里以物喻人，把人的成长比喻成禾苗的成长。他认为人的成长各有不同，受教育程度不同，经历不同，掌握的学识不同，修养不同，人的视野和能力也就千差万别。就像禾苗，有长苗不开花吐穗的，也有开花吐穗不结果实的。植物如此，人亦如此。

9.22

　　子曰："后生可畏，焉知来者之不如今也？四十、五十而无闻焉，斯亦不足畏也已。"

The Master said, "A youth is to be regarded with respect. How do we know that his future will not be equal to our present? If he reach the age of forty or fifty, and has not made himself heard of, then indeed he will not be worth being regarded with respect."

【译文】孔子说："年轻人是可敬畏的，怎么能知道后来者不如今天的我们呢？一个人如果到了四五十岁还没什么名声，那他也就没有什么可怕的了。"

【解读】"后生可畏"早已成为我们的口头禅，既包含对年轻人的敬畏，也涵括对青年人的赞许，更多的是发自内心对未来的憧憬。这是一种积极向上的人生态度。孔子面对年轻的弟子们，把更多的希望寄托于他们，正所谓"青出于蓝而胜于蓝"。年轻人身体强壮，思想活跃，接受能力强，只要用正确的方法、观念加以引导，定能干出一番事业。时不我待，年轻人更应趁着心智成熟的最佳时机奋力一搏，无愧人生。就像王勃在《滕王阁序》中所说"老当益壮，宁移白首之心？穷且益坚，不坠青云之志"。

9.23

子曰："法语之言^[1]，能无从乎？改之
为贵。巽与之言^[2]，能无说乎？绎之为贵。
说而不绎，从而不改，吾末如之何也已矣。"

The Master said, "Can men refuse to assent to
the words of strict admonition? But it is reforming
the conduct because of them which is valuable.
Can men refuse to be pleased with words of gentle
advice? But it is unfolding their aim which is
valuable. If a man be pleased with these words, but
does not unfold their aim, and assents to those, but
does not reform his conduct, I can really do nothing
with him."

【注释】［1］法语之言：合乎礼法的话。［2］
巽（xùn）与之言：顺从附和的话。

【译文】孔子说："合乎礼法的言语，能不听从吗？据之改正自身的错误才是可贵的。顺从附和的话，能不高兴吗？能寻绎分析、正确对待才是可贵的。只顾高兴而不能冷静分析，表面上听从而不能实际改正，我不知如何对待这种人。"

【解读】本章语言质朴，生活气息浓郁且富有意义。历史上人们对此章的解读，大多倾向于这是孔子劝导人君或学者正确对待谏言的告诫，今天看来适用于我们每个人。别人提出合乎道理的批评，人们都会听从、称是，但过后能不能加以改正是不好说的。顺从附和甚至赞美的话，人们听后都会感觉舒坦，但能不能理性分析其中的缘由也是不易做到的。人要学会倾听，更要善于倾听。对待别人对自己的批评，要保持坦然的心态，虚心听取，有则改之；面对别人对自己的赞誉，要辩证地倾听，找出原因，以便完善自我。

9.24

子曰："主忠信，毋友不如己者，过则
勿惮改。"

The Master said, "Hold faithfulness and
sincerity as first principles. Have no friends not
equal to yourself. When you have faults, do not fear
to abandon them."

【译文】孔子说："要主持忠信，不和在忠信
上不如自己的人交朋友。有了过错，就不要
怕改正。"

【解读】本章讲的是修身问题。忠信是一个人
的立身之本。一个人如果没有忠信，不会有
人喜欢，也不会有人愿意与他交往。学习要
达到的目标，就是忠信。如子夏所说，"事
父母，能竭其力；事君，能致其身；与朋友

交，言而有信。虽曰未学，吾必谓之学矣"。事父事君尽心竭力，这是忠；交朋友讲诚信，这是信。子夏认为，具备了忠信，就是学好了。所以孔子也非常强调忠信在交友方面的重要性。另外，人不可能不犯错误，犯了错误就要勇于改正。有错不改，甚至遂非愎谏、讳疾忌医，那就不可救药了。

9.25

子曰："三军可夺帅也，匹夫不可夺志也。"

The Master said, "The commander of the forces of a large state may be carried off, but the will of even a common man cannot be taken from him."

【译文】孔子说："三军的统帅可以被夺走，一个人的志向不可以被夺走。"

【解读】这里主要强调的是"志"的重要性。人不但要胸怀大志，还要坚定守护自己的志向，一个人有了崇高的理想、坚定的信念，才能做到有气节。中国历史上无数仁人志士都是如此。这里也寄托了孔子对弟子们的殷切期望。人各有志，志于学，一心向学；志于仁，一心向善；志于官，一心为民。唯有志向坚定，事业才能有成就。立志，是走向成功的必由之路。

9.26

子曰："衣敝缊袍[1]，与衣狐貉者立而不耻者，其由也与？'不忮[2]不求，何用不臧[3]？'"子路终身诵之。子曰："是道也，何足以臧？"

The Master said, "Dressed himself in a tattered robe quilted with hemp, yet standing by the side of men dressed in furs, and not ashamed; ah! it is Yu who is equal to this! 'He dislikes none, he covets nothing; what can he do but what is good!'" Tsze-lu kept continually repeating these words of the ode, when the Master said, "Those things are by no means sufficient to constitute (perfect) excellence."

【注释】［1］缊（yùn）袍：乱麻填衬的袍子。［2］忮（zhì）：嫉妒。［3］臧：善。

【译文】孔子说："穿着破旧乱麻填衬的袍子，与那些穿着狐貉毛皮大衣的人站在一起而不觉得耻辱的，大概是仲由吧？《诗经·雄雉》说：'不嫉妒，不贪求，怎么会不善呢？'"子路听了，老是念诵它。孔子说："这仅仅是为人之道的一个方面，又怎能说足够好呢？"

【解读】纵观整部《论语》，孔子对子路的态度，批评指正与表扬激励并存，充分体现了他因人施教的特点。本章前部是孔子对子路朴素品格的赞赏，并引用"不忮不求，何用不臧"加以褒奖。这显然出乎子路的预料，仿佛拿到一个值得炫耀的冠军奖牌，于是"终身诵之"。孔子观后指出：要向"道"的更完美处追求，才能达到至善。人要坦然面对人生，面对富贵不贪求，不嫉妒，不自惭，恪守自己的志向，止于至善，过好自己的生活。

9.27

子曰："岁寒，然后知松柏之后凋也。"

The Master said, "When the year becomes cold, then we know how the pine and the cypress are the last to lose their leaves."

【译文】孔子说："时到严寒季节，然后才知道松柏是最后凋零的。"

【解读】孔子对意志坚忍、顽强不屈的品德大为赞赏。这里以松柏喻人，比喻有高尚道德情操的人，像松柏一样，不畏艰险，在任何恶劣的环境中，敢于面对，傲然屹立，此乃真君子也。人要善于自我修养，顺境中不骄傲自满，逆境时能勇往直前，经得住恶劣环境的考验。

岁寒　杨文森　绘

9.28

子曰："知者不惑，仁者不忧，勇者不惧。"

The Master said, "The wise are free from perplexities; the virtuous from anxiety; and the bold from fear."

【译文】孔子说："智者不迷惑，仁者不忧愁，勇者不恐惧。"

【解读】智者无论何时何地都能冷静面对人生的变故，理性分析其中的缘由，想出应对的办法，不会因突如其来的变故而大惊失色，不会因心烦意乱而迷失方向，知其然，更知其所以然。

仁者怀有仁人之心，不会杞人忧天，对待事情能够推己及人。他们肩负道德使命，以惠及大众为己任，以苦为乐，乐在其中。

勇者有勇敢之心、勇猛之力，对任何事情都无畏无惧。孔子认为，一个完美人格的构建，就在此三者。

9.29

子曰："可与共学，未可与适 [1] 道；可
与适道，未可与立；可与立，未可与权 [2] 。"

The Master said, "There are some with whom
we may study in common, but we shall find them
unable to go along with us to principles. Perhaps we
may go on with them to principles, but we shall find
them unable to get established in those along with
us. Or if we may get so established along with them,
we shall find them unable to weigh occurring events
along with us."

【注释】[1]适：走向，去，往。[2]权：权变，
变通。

【译文】孔子说："可以与他共同学习，但未
必可以与他一起走向道；可以与他一起走向

道，但未必可以与他一起立身于道；可以与他一起立身于道，但未必可以与他一起达到通权达变的地步。"

【解读】本章谈的是与人进学求道的不同层次：适道，立道，通权达变地用道求道。权即变通、机变。道，适于万事万物，而且是在发展变化着的。要想很好地把握住道、遵循道、践行道，必须具备很高的权变能力。遵道、行道，既要有"原则性"，还要有"灵活性"，不可死板僵化。孔子要求，立于道之后，应能灵活地用道、行道。做到这一步最难，故放到最后。

9.30

"唐棣之华，偏^[1]其反^[2]而。岂不尔思？室是远而。"子曰："未之思也，夫何远之有？"

"How the flowers of the aspen-plum flutter and turn! Do I not think of you? But your house is distant."

The Master said, "It is the want of thought about it. How is it distant?"

【注释】[1]偏：翩。[2]反：翻。

【译文】古诗上说："唐棣树的花，在微风中翩翩摇摆。难道我不想你吗？只是家太遥远了。"孔子说："这是没有想念，如果真的想念，又有什么遥远的呢？"

【解读】本章所引的几句诗不见于今本《诗经》，

当是逸诗。孔子解读这几句诗的时候，也是借
题发挥。孔子认为，真正想念一个人，路途遥
远不是问题。做事也是如此，真正想要去做的
事情，不管有多少困难，都能够克服。一味强
调客观原因，其实那是自己根本不想去做而已。

乡党第十

10.1

孔子于乡党，恂恂 [1] **如也，似不能言者。**

Confucius, in his village, looked simple and sincere, and as if he were not able to speak.

【注释】 ［1］恂恂（xún xún）：温和恭顺。

【译文】 孔子在乡里，温和恭顺的样子，好像是个不善言谈的人。

【解读】 说话是一门艺术，更关乎个人修养，必须注意自己的身份地位以及说话的场合。孔子倡导"文质彬彬"并身体力行，在乡里与之言谈者都是熟知的乡亲，有些还是自己的长辈，故而显得非常谦和恭顺。

10.2

其在宗庙朝廷，便便 [1] 言，唯谨尔。

When he was waiting at court, in speaking with the great officers of the lower grade, he spake freely, but in a straightforward manner; in speaking with those of the higher grade, he did so blandly, but precisely.

【注释】[1] 便便（pián pián）：形容善于辞令，侃侃而谈。

【译文】他在宗庙或朝廷上时，却特别善于言谈，只是说得很谨慎罢了。

【解读】宗庙，朝廷作为举行祭祀大礼，商议国家大事之所，做臣子的应当说则说，不当说则不说。恰如其分地表达自己的见解或建议，知无不言，言无不尽，这表现为"忠"，是尽臣之本分。但要有的放矢，不是长篇大论，泛泛而谈，要掌握一个"度"，一个"谨"字鲜明地表现出孔子说话时的态度。

10.3

朝，与下大夫言，侃侃 [1] 如也；与上大夫言，訚訚 [2] 如也。君在，踧踖 [3] 如也，与与 [4] 如也。

When he was in the prince's ancestorial temple, or in the court, he spoke minutely on every point, but cautiously. When the ruler was present, his manner displayed respectful uneasiness; it was grave, but self-possessed.

【注释】［１］侃侃：和悦的样子。［２］訚訚（ yín yín）：谦和恭敬的样子。［３］踧踖(cù jí)：恭谨，局促不安的样子。［４］与与：威仪适度的样子。

【译文】孔子上朝的时候，与下大夫交谈，温和而喜悦；与上大夫交谈，谦和而恭敬。君

主在朝的时候，心里虽有些恭谨不安，但举
止仍然是威仪适度。

【解读】周代礼制讲究等级，一切社会活动无
不体现等级。孔子是尊崇礼制的践行者，故
而有上述记载。侃侃、訚訚、踧踖、与与，
这一系列形体语言的描述，刻画出孔子与不
同人群交往时的细微变化。这种变化反映出
孔子在践礼时其言谈举止能把握得体适中。

10.4

君召使摈，色勃如也，足躩[1]如也。揖
所与立，左右手，衣前后，襜[2]如也。趋进，
翼如也。宾退，必复命曰："宾不顾矣。"

When the prince called him to employ him in
the reception of a visitor, his countenance appeared
to change, and his legs to move forward with
difficulty. He inclined himself to the other officers
among whom he stood, moving his left or right arm,
as their position required, but keeping the skirts
of his robe before and behind evenly adjusted. He
hastened forward, with his arms like the wings of a
bird. When the guest had retired, he would report
to the prince, "The visitor is not turning round any
more."

【注释】［1］躩（jué）：疾行。［2］襜（chān）：

摆动。

【译文】国君召使，孔子接待宾客，他面色矜持而庄重，脚步也快起来。向并立的人作揖，或向左拱手，或向右拱手，衣服随着身体俯仰一前一后整齐地摆动。小步快走时，好像鸟儿舒展开翅膀一样。宾客离去，一定向国君复命说："宾客已经走远，不再回头看了。"

【解读】孔子知礼，更懂礼。虽然那个时代礼崩乐坏，但礼数有时还是要讲的，特别是有国宾来访，这关乎体面。依礼制，两国国君相见要举行仪式。主方要设迎来送往人员"摈"（傧），摈分三个等级，"上摈""承摈""绍摈"，摈负责依次传达国君的说辞。来访的宾国跟随有相礼人员"介"，也分三个等级，"上介""承介""末介"，同样负责依次传达宾国国君的说辞。因场面较大，摈与摈之间相距一定的距离，他们登场后要相互行礼，故而就有了"揖所与立，左右手，衣前后，襜如也"；传话时必须来回转身趋步而行，故而有了"趋进，翼如也"。宾国之"介"也是如此。从本章来看，孔子应为上摈，礼仪动作最为规范，神态表情最为端正。

10.5

　　入公[1]门，鞠躬如也，如不容。立不中
门，行不履阈[2]。过位，色勃如也，足躩如
也，其言似不足者。摄齐[3]升堂，鞠躬如也，
屏气似不息者。出，降一等，逞颜色，怡怡[4]
如也。没阶，趋，翼如也。复其位，踧踖如也。

When he entered the palace gate, he seemed
to bend his body, as if it were not sufficient to admit
him. When he was standing, he did not occupy
the middle of the gate-way; when he passed in or
out, he did not tread upon the threshold. When
he was passing the vacant place of the prince, his
countenance appeared to change, and his legs to
bend under him, and his words came as if he hardly
had breath to utter them. He ascended the reception
hall, holding up his robe with both his hands, and
his body bent; holding in his breath also, as if he

dared not breathe. When he came out from the audience, as soon as he had descended one step, he began to relax his countenance, and had a satisfied look. When he had got to the bottom of the steps, he advanced rapidly to his place, with his arms like wings, and on occupying it, his manner still showed respectful uneasiness.

【注释】［1］公：国君。鲁国国君称"鲁公"。［2］阈（yù）：门槛。［3］齐（zī）：古指长衣下部的缉边，也泛指长衣的下摆。［4］怡怡：轻松和悦。

【译文】孔子进入国君之门时，弯曲敛缩着身子，好像容不下自己。站立时，不站在门中央；行走时，不踩门槛。经过国君所处之位时，脸色勃然肃敬，脚步加快，说话也好像气力不足（压低声音）。提起衣裳的下摆登堂，弓着身子，屏住气像不能呼吸一样。出来时，

下一级台阶，便放松神色，显出轻松愉快的
样子。下完台阶，小步快走，好像鸟儿展开
翅膀一样。回到自己的位置，仍有些恭谨不
安的样子。

【解读】本章写孔子入朝之容貌。孔子如此行之，
学生如实记之。读后不免令人困惑：不就入
朝事君吗？何必如此卑躬屈膝，战战兢兢，
甚至有点奴颜婢膝之态。其实，如此一丝不苟，
如此小心翼翼，正体现出孔子对职业的尊重，
对礼制的尊崇，对国君的忠敬。孔子的一举
一动，潜意识里有着礼的规范。孔子之所以
如此，正是他对礼的践行。孔子认为只有如
此对待工作，才显得严肃与认真，只有如此
行走于朝堂，方能表现出敬畏与神圣。他大
概每次入朝，使命感、责任感、敬畏感都会
油然而生。

10.6

执圭，鞠躬如也，如不胜。上如揖，下如授。勃如战色，足蹜蹜[1]，如有循。享礼[2]，有容色。私觌[3]，愉愉如也。

When he was carrying the scepter of his ruler, he seemed to bend his body, as if he were not able to bear its weight. He did not hold it higher than the position of the hands in making a bow, nor lower than their position in giving anything to another. His countenance seemed to change, and look apprehensive, and he dragged his feet along as if they were held by something to the ground. In presenting the presents with which he was charged, he wore a placid appearance. At his private audience, he looked highly pleased.

【注释】[1]蹜蹜(sù sù)：脚步很小，踵趾相接。

［2］享礼：使臣向邻国国君献礼的仪式。［3］
觌（dí）：相见。

【译文】孔子出使邻国，执持国君授予的玉圭，
弯着身子，好像重得力不能胜。向上举好像
作揖，向下落好像授给别人。神色庄重不安，
战战兢兢，脚步很小，踵趾相接，好像沿着
一条线行走。举行享礼的时候，一片盛情，
和颜悦色。私下相见的时候，则是轻松愉快
的样子。

【解读】"圭"作为使臣出访他国之信物，代
表着国君的信托，同时也代表着国家的尊严，
责任感使孔子如此这般"执圭"。这是对国
君的敬重，也是对权力的敬畏，更是对自身
依礼从事的慎重。一言以蔽之，不辱使命。
依礼制，主国国君迎接使者"聘宾"要于太
庙内举行，聘宾执圭立于庙门外，谦让三次
后方才随摈者入内，于庙堂内传达聘国国君

的来意后，献上所执之圭及其他礼物，然后才以个人的名义晋见国君，拜访卿大夫。所以孔子在庙堂小心翼翼，谨慎而为，而在堂下进献礼物的仪式上则和颜悦色，私人会见时更是一脸的轻松自然。入庙门登庙堂必须上阶下阶，孔子为了表示对圭的敬重，执之以衡，故而时刻保持警惕。

10.7

君子不以绀緅[1]饰，红紫不以为亵服[2]。当暑，袗絺绤[3]，必表而出之。缁[4]衣羔裘，素衣麑[5]裘，黄衣狐裘。亵裘长，短右袂[6]。必有寝衣，长一身有半。狐貉之厚以居。去丧，无所不佩。非帷裳[7]，必杀之。羔裘玄冠不以吊。吉月，必朝服而朝。

The superior man did not use a deep purple, or a puce colour, in the ornaments of his dress. Even in his undress, he did not wear anything of a red or reddish colour. In warm weather, he had a single garment either of coarse or fine texture, but he wore it displayed over an inner garment. Over lamb's fur he wore a garment of black; over fawn's fur one of white; and over fox's fur one of yellow. The fur robe of his undress was long, with the right sleeve short. He required his sleeping dress to be half as long again as his body. When staying at home, he used thick furs of the fox or the badger. When he put off mourning, he wore all the appendages of the girdle. His undergarment, except when it was required to be of the curtain shape, was made of silk cut narrow above and wide below. He did not wear lamb's fur or a black cap, on a visit of condolence. On the first day of the month he put on his court robes, and presented himself at court.

【注释】［１］绀緅（ gàn zōu）：深青透红的颜色。
［２］亵（ xiè ）服：便服。［３］袗（ zhěn）：
单衣。绤（ chī ）：细葛布。绤（ xì ）：粗葛布。
［４］缁（ zī ）：黑。［５］麑（ ní ）：小鹿。［６］
袂（ mèi ）：袖子。［７］帷裳：上朝或祭祀穿
的礼服，用整幅布做成，不加剪裁。

【译文】君子不用青红色的布做衣服的镶边，
不用红紫色的布做闲居在家时的便服。暑天，

穿葛布单衣，如果外出，一定外加上衣。冬天，黑色衣服搭配羊羔皮裘，白色衣服搭配小鹿皮裘，黄色衣服搭配狐狸皮裘。居家时穿的皮裘身较长，只是为方便做事做的右袖较短。一定有睡衣，长约上身一倍半。以毛厚的狐貉皮做坐褥。期满脱去丧服以后，没有什么饰品不可以佩戴。不是帷裳，一定剪裁杀缝。不可以穿着紫羔裘和黑礼帽去吊丧。正月初一，一定穿着上朝的礼服去朝贺。

【解读】衣冠服饰自古以来就受到历朝统治者的重视。早在夏商时期，穿衣戴帽就有了一定的规范，一句"黄帝尧舜垂衣裳而天下治"，可知上衣下裳观念已经确立。到了周代，就逐渐形成了较为完备的冠服制度。孔子主张克己复礼，周礼的冠服规范便成了本章中的应有之义。冠服穿在自己身上，不仅遮羞挡寒，更要符合自身的审美趣味，那是不是说，只要自己认为美，就可以随便穿？万万不可

如此。首先，冠服显露于外，在古代，它象
征着一个人的身份和地位，特别是官场中人，
穿什么样式的衣服，戴什么样式的帽子，甚
至衣服的颜色、佩饰，都有严格规定，是绝
不可逾制的。其次，冠服必须适合出席的场合。
不仅古时如此，即便现在，不分场合乱穿衣
也是为人所诟病的。最后，衣服穿在自己身上，
却被别人看在眼里，决不能由着自己的性子
或盲目追风赶潮胡乱穿，穿衣要适合自己的
身份、年龄，也要顾及他人的感受。

10.8

齐 [1]，必有明衣 [2]，布。齐，必变食，居必迁坐。

When fasting, he thought it necessary to have his clothes brightly clean and made of linen cloth. When fasting, he thought it necessary to change his food, and also to change the place where he commonly sat in the apartment.

【注释】［1］齐（zhāi）：同"斋"，斋戒。［2］明衣：沐浴后穿的布制浴衣。

【译文】斋戒前，沐浴一定要有用布做的浴衣。斋戒时，一定要改变平常饮食（不食酒肉葱蒜等），居住也一定要暂时换个地方，不与妻妾同住。

【解读】《左传·成公十三年》有言："国之大事，
在祀与戎。"古代祭祀前，国君要斋戒三日，
斋戒时沐浴吃斋是不可或缺的环节，这叫敬
鬼神、敬天地，心诚则灵。沐浴是为净身，
去掉身上的污垢，体现洁净之意；浴后穿用
布做的衣服，去掉皮革之属，体现出明洁之意；
吃斋是为净口，去掉辛辣之属，体现平淡之
意；迁坐是为净心，去掉欲望，体现无欲之意。
沐浴、更衣、吃斋、迁坐，事虽小却是为正己。

10.9

食不厌[1]精，脍[2]不厌细。食饐而餲[3]，鱼馁[4]而肉败，不食。色恶，不食。臭恶，不食。失饪，不食。不时，不食。割不正，不食。不得其酱，不食。肉虽多，不使胜食气。惟酒无量，不及乱。沽酒市脯不食。不撤姜食，不多食。祭于公，不宿肉。祭肉不出三日。出三日，不食之矣。食不语，寝不言。虽疏食菜羹瓜祭，必齐如也。

He did not dislike to have his rice finely cleaned, nor to have his minced meat cut quite small. He did not eat rice which had been injured by heat or damp and turned sour, nor fish or flesh which was gone. He did not eat what was discoloured, or what was of a bad flavour, nor anything which was ill-cooked, or was not in season. He did not eat meat which was not cut properly, nor what was served without its proper sauce. Though there might be a large quantity of meat, he would not allow what he took to exceed the due proportion for the rice. It was only in wine that he laid down no limit for himself, but he did not allow himself to be confused by it. He did not partake of wine and dried meat bought in the market. He was never without ginger when he ate. He did not eat much. When he had been assisting at the prince's sacrifice, he did not keep the flesh which he received overnight. The flesh of his family sacrifice he did not keep over three days. If kept over three days, people could not eat it. When eating, he did not converse. When in bed, he did not speak. Although his food might be coarse rice and vegetable soup, he would offer a little of it in sacrifice with a grave, respectful air.

【注释】［1］厌：厌嫌。［2］脍（kuài）：细切的鱼或肉。［3］馑（yì）：食物经久而腐臭。

餲（ài）：食物经久而变味。［4］馁（něi）：
腐烂。

【译文】 饭不嫌做得精，肉不嫌切得细。饭食
腐臭变质，鱼腐肉坏，不吃。颜色不新鲜，
不吃。气味难闻，不吃。烹饪失当，不吃。
不到该吃饭的时候，不吃。牲肉切割不合法
度，不吃。没有合适的酱，不吃。肉虽然多，
吃肉的分量不可超过主食。只有酒没有限量，
但不能喝到乱酒（醉）的程度。买来的酒和
干肉，不吃。姜能去邪味，不撤去，但不多吃。
助祭于公家，祭毕分得的祭肉不过夜。自家
祭祀，祭肉不能超过三天。超过三天，就不
能吃了。吃饭时不要多说话，睡觉时不要多
说话。即使是吃粗饭、喝菜汤，也得先祭祀，
而且一定要像斋戒了的一样严肃恭敬。

【解读】 "食不厌精，脍不厌细"早已成为美
食者的口头禅，而对它的理解，历史上也有分

歧，有人认为孔子并不是说食物做得越精细越好，而是强调不要刻意追求精细。在生产力水平相对低下的春秋时代，填饱肚子就十分困难，孔子还能在吃的方面如此讲究？但通读本章慢慢体味，此说难以令人信服，孔子是精益求精之人，无论做任何事都追求完美。再说古人吃肉并非难事，彼时禽兽遍野，只是肉食难以保存罢了，毕竟农猎并举走过了漫长岁月。吃要方法得当，吃相得体，吃得健康是本章的要旨。"割不正，不食"，古人分割牲体是有讲究的，缘于祭祀，不同的部位各得其所，有着贵贱之分。"凡为俎者，以骨为主。骨有贵贱，殷人贵髀，周人贵肩，凡前贵于后。俎者，所以明祭之必有惠也。是故，贵者取贵骨，贱者取贱骨；贵者不重，贱者不虚，示均也。"（《礼记·祭统》）"沽酒市脯不食"，要求酒、脯自制。邢昺《论语注疏》曰："酒不自作，未必精洁；脯不自作，不知何物之肉，故不食也。"

10.10

席不正，不坐。

If his mat was not straight, he did not sit on it.

【译文】座席铺得不端正，不坐。

【解读】孔子时代没有座椅，大都席地而坐。正式场合，坐有坐姿，坐席也得讲究。因《礼记·礼器》载有："天子之席五重，诸侯之席三重，大夫再重。"故而有了违背礼制为席不正之说。也有因违背尊卑坐向而为席不正的。不论何说，端正座席关乎礼节，也关乎个人尊严，更关乎个人修养。

席不正，不坐　卢冰 绘

10.11

乡人饮酒，杖者出，斯出矣。乡人傩[1]，
朝服而立于阼阶[2]。

When the villagers were drinking together,
on those who carried staffs going out, he went out
immediately after. When the villagers were going
through their ceremonies to drive away pestilential
influences, he put on his court robes and stood on
the eastern steps.

【注释】［1］傩（nuó）：腊月驱逐疫鬼的仪式。
［2］阼（zuò）阶：东边的台阶，是主人迎送
宾客站立的地方。

【译文】同乡里人一起喝酒，结束时等老年人
出去以后，自己再出去。乡里人举行驱逐疫
鬼的仪式，自己穿着朝服站在东边的台阶上。

【解读】杖者，老人也，"五十杖于家，六十杖于乡，七十杖于国，八十杖于朝，九十者天子欲有问焉，则就其室以珍从。"（《礼记·王制》）。乡人饮酒，挂杖参加，其年龄不下六十岁。酒毕，要等挂杖的老年人出去后，自己再出去，这体现了尊老爱老的良好风范。

10.12

问人于他邦，再拜而送之。康子馈药，拜而受之，曰："丘未达^[1]，不敢尝。"

When he was sending complimentary inquiries to any one in another state, he bowed twice as he escorted the messenger away. Chi K'ang having sent him a present of physic, he bowed and received it, saying, "I do not know it. I dare not taste it."

【注释】[1]达：通晓，了解。

【译文】托人给在别国的朋友慰问送礼，要向受托者拜两次。季康子馈送药品，孔子拜谢接受，说："我还不了解药性，暂时不敢吃。"

【解读】此章足可以显现孔子践行礼的周到细致。托人捎点东西，要再拜而送之。不论受托者身份地位如何，既然请人帮忙，就应拜谢，这是基本的礼节。"再拜"表示隆重，态度恭敬。别人馈赠自己东西，接受时也要拜之，这也是礼的要求。至于孔子所说"丘未达，不敢尝"，有人认为孔子当着馈药人的面如此说不合情理。这是理解上的差异。对于别人馈赠的药品，在不了解药性的情况下，一般都不敢轻率地服用，这是人之常情。孔子既然拜而接受此药，显然无失礼之处；脱口而出"丘未达，不敢尝"之言，既反映出孔子的直率，也反映出他和季康子之间颇为熟识的关系，无须客套虚假。

10.13

厩[1]焚。子退朝，曰："伤人乎？"不问马。

The stable being burned down, when he was at court, on his return he said, "Has any man been hurt?" He did not ask about the horses.

【注释】［1］厩（jiù）：马棚。

【译文】马棚失火。孔子退朝回家听说后，问道："烧伤人了吗？"而不问马。

【解读】好一个"不问马"，足见圣人仁心！孔子所处时代，马是战略物资，价格也十分昂贵。孔子独问人不问马，非不爱惜马，实则是贵人而贱物，贵人而轻财。孔子怀仁，把人的生命放第一位。"不问马"正是孔子践行"仁"的真实写照，反映出儒家的人道主义精神。

10.14

君赐食，必正席先尝之。君赐腥，必熟而荐 [1] 之。君赐生，必畜之。侍食于君，君祭，先饭。疾，君视之，东首，加朝服，拖绅 [2]。君命召，不俟 [3] 驾行矣。

When the prince sent him a gift of cooked meat, he would adjust his mat, first taste it, and then give it away to others. When the prince sent him a gift of undressed meat, he would have it cooked, and offer it to the spirits of his ancestors. When the prince sent him a gift of a living animal, he would keep it alive. When he was in attendance on the prince and joining in the entertainment, the prince only sacrificed. He first tasted everything. When he was ill and the prince came to visit him, he had his head to the east, made his court robes be spread over him, and drew his girdle across them. When the prince's order called him, without waiting for his carriage to be yoked, he went at once.

【注释】〔1〕荐：祭祀时献牲。〔2〕绅：束在腰间的大带。〔3〕俟（sì）：等待。

【译文】国君赐给熟食，一定摆正席位先尝尝。国君赐给生的鱼肉，一定做熟祭献给先祖。国君赐给活的牲畜，一定把它养起来。陪侍国君一起吃饭，当国君举行饭前祭礼后，孔子先为国君尝饭。孔子病了，国君来探视，他便头朝东躺着，把上朝穿的礼服加在身上，拖着大带。国君有命召唤，孔子不等驾好车就急着先步行而往。

【解读】事君之道在《论语》中谈及不少，本章谈孔子侍君，极尽臣子之礼，堪为臣子表率。孔子的定位是"君为臣纲"，为臣者必须以国君为中心，依礼而为，尊之，敬之，忠之。

当得到国君赐予的食物时，不能马虎对待，
熟食，应正席摆放以示尊重，自己先品尝后
再与他人分享；鲜鱼，做熟后自己不能先尝，
要先祭献于祖先，这是向祖先汇报不忘本的
表现。国君赐予的牲畜，不可无故宰杀，依
礼制，"君无故不杀牛，大夫无故不杀羊，
士无故不杀犬豕。"（《礼记·玉藻》）这
是尊礼之道。陪国君用餐，在国君行礼时为
其尝尝味道，这是忠君的表现。重病在身，
国君前来探望，要像上朝一样身穿朝服面见
国君，无奈病重只得把朝服披在身上，还特
意展现出象征士大夫的绅带，这是尊君的表
现。国君召见，行之匆匆，这是敬君的表现。

10.15

入太庙，每事问。

When he entered the ancestral temple of the
state, he asked about everything.

【译文】进入太庙，每件事都要问。

【解读】本章中孔子向老子问礼，是礼的行为，
孔子入太庙问规矩、问祭祀礼仪是在虚心学
习，印证所知，当然也是礼。

10.16

朋友死，无所归，曰："于我殡。"朋友之馈，虽车马，非祭肉，不拜。

When any of his friends died, if he had no relations who could be depended on for the necessary offices, he would say, "I will bury him." When a friend sent him a present, though it might be a carriage and horses, he did not bow.

【译文】朋友死了，没有归属的亲人，孔子说："由我给他料理丧葬之事。"朋友的馈赠，即使是车马之类的贵重物品，只要不是祭肉，孔子接受的时候也不拜谢。

【解读】朋友死了，没有亲人收殓，孔子毫不迟疑地站了出来，为之办理丧事。足见其仁者仁心，侠肝义胆！对于朋友的馈赠，即便是贵重的车马也照单全收，可以看出孔子与他的朋友之间真诚相待，毫无虚情假意，也不用任何客套。但唯有对馈赠祭肉者行拜礼，为何？因为祭肉是对祖先的尽孝之物，所以看得比车马还重。

10.17

寝不尸，居不容。见齐衰[1]者，虽狎[2]，必变。见冕者与瞽者，虽亵[3]，必以貌。凶服者式[4]之。式负版[5]者。有盛馔，必变色而作。迅雷风烈，必变。升车，必正立执绥[6]。车中不内顾，不疾言，不亲指。

In bed, he did not lie like a corpse. At home, he did not put on any formal deportment. When he saw any one in a mourning dress, though it might be an acquaintance, he would change countenance; when he saw any one wearing the cap of full dress, or a blind person, though he might be in his undress, he would salute them in a ceremonious manner. To any person in mourning he bowed forward to the crossbar of his carriage; he bowed in the same way to any one bearing the tables of population. When he was at an entertainment where there was an abundance of provisions set before him, he would change countenance and rise up. On a sudden clap of thunder, or a violent wind, he would change countenance. When he was about to mount his carriage, he would stand straight, holding the cord. When he was in the carriage, he did not turn his head quite round, he did not talk hastily, he did not point with his hands.

【注释】[1]齐衰（zī cuī）：丧服。[2]狎（xiá）：亲近，狎昵。[3]亵（xiè）：熟识，常常见面。[4]式：同"轼"，车前横木。[5]负版：丧服，披在背上的粗麻片。[6]绥（suí）：上车时挽手所用的绳索。

【译文】睡觉时不要直挺挺仰卧像个死尸，闲居在家时也不用矜持面容。见到穿丧服的人，即使是亲近的人，也一定严肃变容。见到戴礼帽的人和盲人，即使是很熟悉，也一定礼

貌待之。乘车时，见到穿着送葬衣服的人，
要俯身凭轼表示礼敬。扶轼礼敬穿丧服的人。
遇有别人以丰盛美食款待，一定改变容色而
起身示敬。遇到迅雷烈风，一定改变容色以
表示敬畏上天。上车时，一定端正站立，手
挽紧绳索。驾车不要总往车内看（应正视前
方），不要高声快速讲话，不要用手指指点点，
免得影响驾驭。

【解读】君子"慎小"，君子见于"小"。君
子欲做大事，必从一件件小事做起，必须注
重细节。孔子欲恢复周礼，就从衣食住行这
些小的方面做起。而恰恰是这些小事，这些
细枝末节，最能反映一个人的品格。孔子见
居丧者与冕者、瞽者的态度与表现，既合乎
礼的规范，又体现了其圣人仁心。君子"慎
其家居之所为"，睡觉如尸，颜面如霜，是
对家人的不敬。见到丧者、冕者、瞽者，不
表现出同情之心、礼貌之容，是为不恭。乘

车时遇见穿丧服的要行轼礼，即以手扶轼，上身微俯，这是礼制的规定。别人盛情款待，起身示敬是对主人的感谢，也是对食物的尊重。"若有疾风迅雷甚雨，则必变，虽夜必兴，衣服冠而坐。"（《礼记·玉藻》）这是依礼敬畏上天。上马车之后，必须保持自身的威仪，不左顾右盼，不分心，专注驾车。总之，孔子依礼行事，日常行为举止可体现出来。

10.18

色斯举^[1]矣，翔而后集。曰：“山梁雌雉^[2]，
时哉！时哉！”子路共之，三嗅^[3]而作。

Seeing the countenance, it instantly rises. It
flies round, and by and by settles. The Master said,
"There is the hen-pheasant on the hill bridge. At its
season! At its season!" Tsze-lu made a motion to it.
Thrice it smelt him and then rose.

【注释】［1］举：飞。［2］雉（zhì）：野鸡。
［3］嗅：“嗅”当为“狊（jú）”，鸟张两翅。

【译文】山鸡见有人来，惊疑作色地高高飞起，
飞翔一阵后又降落在一起。孔子看到这一情
景，感叹地说：“山梁上的这些雌雉，识其
时啊！识其时啊！”子路朝它们拱了拱手，
它们有些害怕，又振振翅膀飞走了。

【解读】杨伯峻《论语译注》说："这段文字很费解，自古以来就没有满意的解释。"李泽厚在《论语今读》一书中也称"这章素来难解或无解"，赞同杨伯峻的意见。日本学者竹添光鸿《论语会笺》认为，起首二句为古诗逸句。李炳南《论语讲要》解释说："鸟见人的态度不善，立即飞去。"翔而后集，则是"鸟在回飞观察以后，才肯下来栖息"。子路的举动，引起它们的不安，张开翅膀又飞走了。据此，说的是野鸡生性机敏。野鸡的行为举止正可用来比喻为人处世因时而动，进退合宜，故而引发孔子的感叹："它们真是识其时啊！"孔子是一个最识时务的圣人。孟子曾经称赞孔子说："可以仕则仕，可以止则止，可以久则久，可以速则速，孔子也。"（《孟子·公孙丑上》）

后 记

　　"中华优秀传统文化书系"是山东省委宣传部组织实施的 2019 年山东省优秀传统文化传承发展工程重点项目，由山东出版集团、山东画报出版社策划出版。

　　"中华优秀传统文化书系"由曲阜彭门创作室彭庆涛教授担任主编，高尚举、孙永选、刘岩、郭云鹏、李岩担任副主编。特邀孟祥才、杨朝明、臧知非、孟继新等教授担任学术顾问。书系采用朱熹《四书章句集注》与《十三经注疏》为底本，英文对照主要参考理雅各（James Legge）经典翻译版本。

　　《论语》（二）由高尚举担任执行主编，

张勇、黄秀韬、屈士峰、郭耀担任主撰；王明朋、王新莹、朱宁燕、朱振秋、刘建、李金鹏、杨光、束天昊、张博、陈阳光、尚树志、周茹茹、房政伟、高天健、曹帅、龚昌华、韩振、鲁慧参与编写工作；于志学、吴泽浩、张仲亭、韩新维、岳海波、梁文博、韦辛夷、徐永生、卢冰、吴磊、杨文森、杨晓刚、张博、李岩等艺术家创作插图；本书编写过程中参阅了大量资料，得到了众多专家学者的帮助，在此一并致谢。